あたりまえだけど
なかなかできない

33歳からのルール

たいへんよくできました

小倉　広

明日香出版社

自分らしい
キャリアを築け！

仕事・人・金
人生はこの年代で
決定する

重要な仕事を任された
部下ができた
家族もできた
生き抜くスタンスは決まったか？

まえがき
―33歳からの君へ―

33歳の君は大学を卒業後、ちょうど10年の節目の年を迎えているはずだ。だからだろうか、33歳からの君には近い将来に、人生の様々な岐路が束になって降りかかってくることになるだろう。だから君は迷う。そして惑う。

少なくても僕はそうだった。10年間お世話になった会社を離れ、初めての転職をした。それを機に経営者へと転身した。どちらも33歳の時だったということになる。

プライベートでも変化が訪れた。8年間連れ添った妻と離婚した。そしてそれを機に僕は都心の真ん中に住むようになり、あらゆる生活が変わっていった。33歳から始まった人生の変化は、一生のうちで最も振幅が大きなものとなった。

僕の場合、その変化は幸せな方向へ振れた。今、僕は40代を楽しんでいる。「将来こんな人間になりたい」と思い描く人生のビジョンに毎日少しずつ近づいている実感があるのだ。そしてそれを運命づけたのが、33歳からの日々の過ごし方にあったのは間違いないと思うのだ。

決して順風満帆な30代ではなかった。人並み以上に失敗もしたし、手痛い目にもあった。しかし、それにどう対処するかが大切だったのだと思う。そして僕はその失敗から逃げずに真正面から向き合った。そして1ミリずつにじり寄るように成長してきた。その積み重ねが現在の幸福な40代につながっているのだと思う。

30代は人生を劇的に変える最後の年代だと思う。そしてその後の人生を決定づける極めて重要な時期だとも言える。そんな33歳からのあなたの羅針盤になりたい。そう思って本書を記すことにした。

僕が君たちの役に立ち、君たちが誰かの役に立つ。そんな幸福の連鎖の最初のチェーンにこの本がなれたらとても嬉しい。この本がたくさんの付箋やマーカーの線と共に、君の机や本棚の上に置かれることを願う。できればこの本をボロボロにするほどに使って欲しい。それこそが33歳過ぎに見つけた僕の天命だからだ。

本書を通じて33歳からの君と出会えたことに感謝しつつ、まえがきと変えさせていただきたい。

小倉　広

あたりまえだけどなかなかできない 33歳からのルール

カバーデザイン：AD　渡邊民人（TYPEFACE）
：D　堀内美保（TYPEFACE）

第1章

33歳からの「生き方」のルール

33歳からのルール
01

他人に人生を支配させるな

33歳の頃の僕は、**自分の人生を他人に支配されていた。**いや、正確に言おう。僕は自分の人生を他人に委ね、それを良しとしていた。そして、それは辛く苦しい時期だった。

初めて管理職として組織の長となったのは31歳の時だ。ところが、自分のチームがどうもうまくいかない。隣のチームは活き活きと活性化し、業績も上げている。僕は肩身が狭かった。すると、周囲の人が僕のことをどう思っているのか、が気になってしょうがなくなった。

誰かがうわさ話をしていると、自分が馬鹿にされているような気がした。もしかしたら、心の病にかかっていたかもしれない。それほど他人の評価が気になり不安で仕方がなかったのだ。

あまりの苦しさに僕は考えた。どうすればいいのか？　課長を降りればいいのか？　頑張ってやり直せばいいのか？　しかし答えはそこにはないことに気がついた。この状態を苦しがっている自分の考え方がおかしい、と気づいたのだ。

このままでは、たとえ業績が上がっても僕は一生苦しむだろうな、と思った。なぜならば、その業績を周囲の人がどう思うか、に気を取られてしまうから。そして、周囲の人の反応は僕がどう努力しようが変えることはできないのだから。そう、僕は**自分の人生を他人の評価に委ねている。他人に人生を支配されているのだ、**と初めて気がついたのだ。

そうとわかれば答えは早い。他人に支配される人生なんてまっぴらだ。僕は**自分にOKを出すのは自分だけにしよう、**と決めた。**誰にも僕にNGを出させはしない。**たとえ結果が出ようが出まいが、けなされようが誉められようが、できるだけ気にしないようにしようと思った。

僕は自分にOKを出す基準を決めた。それはとてもシンプルな2つのこと。
①120％自分の力を出し切ったならOK　②利己ではなく利他の考えならOK
それからの僕はブレが少なくなった。動揺することが減った。そして少しずつ落ち着き、自信が持てるようになってきた。

正解は、外にはない。**正解は君の中にある。**

たくさんの重責を担うことになる33歳からの君に是非、身につけて欲しい考えだ。

33歳からのルール

02

大人になるとは裸になること

30歳の頃の僕は、ある本を読んでいた時、雷に脳天を貫かれたような衝撃を覚えた。

「自分をラッキョウの皮をむくみたいにむいていって見えてくるもののほうが、成熟という言葉には近いんじゃないかと思う」

(魂にメスはいらない―ユング心理学講義― 河合隼雄・谷川俊太郎著 講談社)

20代までの僕はこの逆だった。

感情を表に出すことがカッコ悪いことだと思っていた。クールに冷静に合理的に。それが仕事のできる人の条件だと思っていた。内面をさらけ出して裸でいる人がカッコ悪いと思っていた。だから、着飾って自分を隠していた。さらけ出すのが怖かった。

しかし一方で、たまに地方の出張先で触れる気さくなおじさん、世話焼きなおばちゃんを素敵だな、とも感じていた。コンサルタントの仕事で接する、豪放磊落《ごうほうらいらく》な創業社長の人なつっこい話し方を心地よくも感じていた。「へぇー、モチベーションを上げるにはそんな方法があったんですかぁ、知らんかったわぁ」。恥ずかしげもなくさらけ出す年配の社長を見る度に、この方は素晴らしい人徳者だな、と頭が下がる思いがした。

そうか。**僕は、こういう人たちになりたかったんだな。**この本を読んで、初めて僕は気がついた。自分を隠すために理屈や知識で武装する人じゃなく、**裸一貫で勝負する器の大きい人になりたかったんだ。**そして、その逆を必死にやっている自分がとても恥ずかしくなった。

それから僕は変わろうと、もがくようになった。

わからないことに出会っても知ったかぶりをせず**「わかりません」**と言うようになった。

素敵な笑顔の人に会った時に**「笑顔が素敵ですね」**と言えるようになった。おかしいな、と思った時には他の全員が賛成していたとしても**「僕は反対です」**と言えるようになった。そしたらとても気が楽になった。僕の言葉が相手へ届くようになった。

33歳からの君も、自分自身のラッキョウの皮をむいていったらどうだろう。簡単なことではないかもしれないけれども。でも着込むよりは素敵に違いない、と僕は思う。

33歳からのルール
03
失敗したら謝ればいい

33歳、社会人10年目の頃の僕は少しずつ自然体になっていった。伸び伸びと自分らしく。

しかし、油断大敵だ。**伸び伸びやるほどに失敗が増える。**そりゃあそうだ。それまでの自分は失敗しないようにビクビクと他人の目を恐れながら行動していたのだから。

それを取り払って、自分らしくやり始めたら、失敗が増えるのは当たり前の帰結だろう。

僕は毎日のように「やっちまった！」「恥ずかしい……」と思う失敗ばかりを繰り返した。

しかし、気をつけなければならないのはこれからだ。これまでの失敗は、理論や何かで着飾って、自分を隠した衣の中での失敗だ。だから大して傷は深くない。

理屈を言って切り抜ける。ごまかすことだってできただろう。

でも、今回はそうはいかない。裸の自分の本音だから、失敗がもろに肌身にしみてくるのだ。他人からの非難は心を刺すだろう。自分はなんてダメなんだ……。自責の念も強いだろう。だが、それを恐れてはいけない。失敗したっていいじゃないか！　誰だって失敗はするものだ。結果的に失敗だったとしても、僕は内なる基準に従って行動した。利己ではなく利他のために。そして手を抜かず120％の力で立ち向かった。それでも失敗した。ならば**堂々と胸を張ろう。**

そして、**迷惑をかけた人へ「ゴメンなさい」と素直に謝ろう。**

そう考えることが重要だ。決して、自分を隠していた頃の自分に戻ってはいけない。自分の人生を他人に支配されていた頃の自分に戻ってはいけない。失敗を恐れちゃいけないんだ。

そもそも**失敗とは、チャレンジをやめた時に確定するものだ。**トーマスエジソンは電球のフィラメントを発明するまでに1万回も失敗した。新聞では精神異常者だとこきおろされた。でも、今エジソンを失敗者と呼ぶ人はいない。**1万回失敗した後でも、最後のたった1回に成功すれば成功者になる**んだ。

が、しかし。もしもエジソンが5千回失敗したところで実験をあきらめたとしたらどうだろう。チャレンジをやめてしまったとしたら、どうだっただろう。その時点でエジソンは失敗を**自分の手で確定させた**ことになる。つまり、逆を言えば、チャレンジをやめない限り、君は永遠に失敗者ではない、ということになる。どうだろう。この考え方って素敵じゃないか？

33歳からのルール
04
自信の取り戻し方

20代の僕はイケイケだった。しかし30歳を過ぎて結婚もし、部下を持つ立場になった途端に、なぜか僕は自信を失っていった。

自信を失ったコンサルタントはみじめだ。クライアントは百戦錬磨の経営者ばかり。数多くの修羅場をくぐり抜けてきた彼らを、うならせ尊敬されるくらいでないと仕事をもらうことはできない。自信がない姿を見せるなら、戦う前から負けが確定しているようなものだ。

そこで僕は考えた。どうすれば自信を取り戻せるだろうか？ 最初に考えたのは「論理武装」だ。しかしそれはある種の人たちには通用しなかった。それは**「根拠のない自信」**を持つ人たちである。彼らは自分の体験と直感だけを信じる。「何か違う気がする」「理屈はわかるが現場は違う」。その一言で片づけてしまい、議論のテーブルにさえ乗ってこない。まさにお話にならないのだ。

ある時、私は彼らを説得することをあきらめた。そして段々と腹が立ってきた。こっちは真剣に準備してきている。それをいい加減なフィーリングで一蹴されてはかなわない。「ふざけるな」と言いたいくらいだ。プチっと何かが弾けた。僕は無意識に叫んでいた。

「あなたがどう思うかは僕の知ったことじゃない。でも、誰が何と言おうとこの提案は正しい、と僕は信じている。僕は信じているんだ！　後はあなたたちで決めてくれ」と。

突然の出来事にその場はしーんと静まり返り、彼らは一様に黙りこくった。そして、一番の反対論者がこう言った。「……そこまで小倉さんが言うのならやってみようか……」と。

僕は喜ぶ前に拍子抜けしてしまった。なぁんだ。こういうことか、と。

根拠のある自信はもろい。根拠たる論理が論破されてしまえば依《よ》って立つものがなくなるからだ。しかし、**根拠のない自信は強い。**「誰が何と言おうが、オレはこう信じている。オレはこう思う」という**信念に対して誰もそれを否定することはできない。**

自信という文字は、自分を信じる、と書く。決して論理を信じる、とは書かない。だから僕は自信を失っている30〜40代の人たちを見るとこうアドバイスするようにしている。「根拠のない自信を持ちなさい」「オレは信じている、と主語を『オレは』にして話しなさい」と。

本当の大人になる、ということは、限りなく子供に戻っていくことなのだと思う。

33歳からのルール
05

自分がイヤになった時に

30歳を過ぎて責任ある仕事につくようになると、段々と自分がわかってくるようになる。これまで、**いかに自分が周囲に守られてきたのか。いかに多くの人に助けられてきたのか。**その仕組みとからくりが、わかるようになってくる。それはとても残酷なことだ。恥ずかしくて穴があったら入りたくなってしまう。そして僕は33歳の頃から毎日が神への懺悔、告白の日々となった。

29歳で課長へ昇進した時は自分の実力だと思っていた。でも33歳になってわかったのは、上司が僕を守ってくれたこと、そして引き上げてくれたことだ。4年間も感謝せずに得意になっていた自分が恥ずかしい。当時の上司に申し訳ない気持ちでいっぱいになった。

10年間お世話になった会社を辞める時、僕は会社批判、上司批判を得意になってしてしまった。そして33歳で経営者の立場に立ってみて、初めて現実がわかった。上司は決してバカだったわけじゃない。**パーフェクトの解なんてない中で、少しでもマシなベターを探していただけなんだ。**だから**どんな解にだって問題は常にある。**それを得意顔で指摘していた自分が、いかに子供であったかを思い知らされて、そして自分が恥ずかしくなった。

そんな風に現実をつきつけられる毎日にいると、生きているのがイヤになってしまう。自分が大嫌いになってしまいそうになる。そこで、内なる基準を思い出す。「OKかNGかは他人が決めるのじゃなくて、自分が決めることにしたんだ」と。じゃあ、失敗した自分はOKだろうか？　もちろんOKだ。それは、なぜ？　そこで大切な考え方がもう一つ見えてくる。

それは**「今できていなくてもOKさ。変わろうと努力していることが大事だよ」**ということだ。

パーフェクトな人なんて一人もいない。誰だって間違いもすれば失敗もする。けれどそこで大切なのは、**失敗から何かを学ぶこと。そして変わろうと努力することだ。**

よし、僕は変わるぞ。もう人へ迷惑をかけないように気をつけるぞ。僕はそう覚悟した自分を認めてあげることにした。それでもまた失敗するかもしれない。でもいいじゃないか。前を向いて努力していることが大事だ。そう考えることにした。そしてまた一つ大人になったような気がした。

33歳からのルール

06

過去を100%肯定する

「電車の中に買ったばかりの本を忘れてきちゃいました」。僕が社長に愚痴った。すると社長はこう言った。「小倉さん、良かったじゃないですか！　本ならばまた買うことができます。他の大切なものをなくさなくて良かったですね！」。僕は面食らった。そういう考え方もあるな。そして少しだけ気が楽になった。

「久しぶりに運動をした時に、ついうっかりと小指をぶつけて骨にひびが入っちゃいました。しばらくギブスです……」。暗い顔をした僕に社長がこう返した。「小倉さん、小指で良かったですね！　これを機会にしばらくパソコンをやめて、じっくり考えごとに集中したらいいじゃないですか！」。

社長は満面に明るさをたたえていた。何だか僕は得をしたような気になってきた。

33歳、僕が初めて新卒で入社したリクルートを離れ、ソフトウェアベンチャーへ取締役として転職したばかりの時のことだ。僕が何を話しても100％必ず「良かったじゃないですか！」と返してくる社長にどれだけ助けられたことかわからない。しかし、待てよ。それにしてもあまりに楽観的じゃないか。なぜ、そこまですべてを肯定できるのか？　僕は社長に聞いてみることにした。すると社長はこう言った。

「だって**過去は変えられない**じゃないですか。だったらそれはすべて良かったことにした方がいいんです。過去を活かすかどうかは自分で決められる。だから、**過去に起きたことはすべていいこと**なんです。神様が何かを教えてくれているんです」と。

「過去を変えることはできない」。だから過去を後悔する時間はムダ以外のなにものでもない。それを知った僕は衝撃を受けた。なぜならば、**それまでの僕は過去を悔むことに膨大な時間を割いていた**からだ。

ある種マゾヒティックなまでに過去の失敗を思い出す。そして自分を責める。そんなムダな時間をたくさん使ってきた。それだけじゃない。そこで落ち込み、酒を呑んだり、ふて寝したりした。**過去を悔やむことで、とんでもない量の時間をムダにしてきた**ことに気づいたのだ。

その時から僕は変わった。過去の失敗を悔いる気持が起きた瞬間、自分にSTOP！をかけることができるようになったのだ。33歳からの君に、過去を悔やんでいる暇はない。

33歳からのルール

07

カッコ悪いがカッコイイ

自分を知れば知るほど、いかに自分がカッコ悪いか、が身にしみる。30代も半ばの頃である。でも、「過去はすべて良かったこと。今ある自分もOKだ」。そう考えるためにはこう思うしかない。

「カッコ悪い、がカッコイイ」「カッコつける、がカッコ悪い」。そういうことだ。

20代の僕はカッコつけていた。でも内心はいつも冷や冷やだった。焦っていた。そして、それを隠していた。だからそれがばれそうになるとうろたえた。ものすごくカッコ悪かった。

でも30代の僕は進歩した。カッコ悪い自分を出せるようになった。20代の頃よりひと皮むけている。

そんな自分にOKを出してあげよう。だって、僕にOKを出せるのは僕だけなのだから。カッコ悪くていいじゃないか！　そう考えたら、グッと楽になった。もっともっとカッコ悪くなろう！　そう思えた。
人は自分以外の何者にもなることはできない。だったら、自分を受け容れるしかない。ダメなところも、いいところも全部引っくるめての自分をそのまま受け容れよう。**ダメな自分もチャーミングだ。**

そう思えるようになったきっかけは、ある映画に出会ったこと。1997年。僕が32歳の時に公開された、今でも大好きな「グッド・ウィル・ハンティング」だ。ハーバード大学に在学中、当時無名だったマット・ディモンの脚本（共同）が認められ、彼が初主演をしたヒューマンドラマの名作だ。劇中、準主役である心理学者ショーン（ロビン・ウィリアムス）が主人公のウィル・ハンティング（マット・ディモン）にこう話しかけた。

「今も忘れられない大好きな奥さんは、生きていた時にとてもチャーミングだった。そんな彼女にはおかしな癖があった。毎晩、夜中に眠りながらプップップとおならをするんだよ（笑）。でも僕はそれもみんな引っくるめて彼女が大好きだった。愛とはそういうものだよ」と。本当に人を愛する、とはそういうことなのか。僕は32歳で「愛」について学んだ。そして、自分を愛することを学んだ。**「カッコ悪い」ことも全部引っくるめて自分を愛そう。**32歳の時にそう思った。

33歳からのルール
08

「業」が深い自分を認めること

辞書で「業（ごう）」を引くと「行い、持って生まれた運命（カルマ）」と出てくる。「業を煮やす」と言えば「腹が立った」という意味だし「業が深い」と言えば「欲が深い」という意味になるらしい。あまりいい意味では使われないが、強いて言えば**「人間臭さ」**とか**「隠しようのない人間のダメなところ」**というようなニュアンスだろうか。

その意味で言えば、僕は「業」が深い、と思う。単なる欲だけではない。ダメなところがたくさんある、人間臭い人間なのだ。そしてそんな僕を、僕は好きではなかった。過去形なのには理由がある。ある人が言った言葉に胸を打たれ、自分を好きになれたからだ。

「落語とは、人の『業』の肯定である」

現代の名匠、立川談志の言葉である。氏によれば、落語とは「逃げちゃった奴等」が主人公なのだと言う。居眠りしちゃいけないところで眠る。食っちゃいけない饅頭を食ってしまう。盗んじゃいけない金を盗む。やってはいけないことをやってはいけない場面で次々としでかす。だからこそ笑える、可愛げがある。ダメな人間のヒューマニズムがある。

僕たちはそんな落語の主人公を笑いながらも、心のどこかで「オレにも似たようなところがあるな」と思う。そして散々笑ったあげく「でも、それが人間だよな」と許し共感するのだ。

それは自分自身へ対する許しでもある。もしかしたら、人々は落語に対して許しを求めているのかもしれない。ダメな落語の主人公の話を聞きながら「どうしようもねぇ奴だな」と笑う。「でもそれが人間だもんな」とそいつを許す。そして最後に「オレも似たようなもんだけどな」と自分を許す。だからこそ長きに渡り人々に愛され続けているのかもしれない。

33歳を過ぎた僕たちは、いろんな場面で追い詰められる。上司から、部下から、かみさんから。そしてその度に**ダメな自分の「業」がチロリと尻尾を出す**。その度に自分を嫌いになっていてはキリがない。ダメな自分も含めて自分。かわいいじゃないか。人間臭いじゃないか。そう、自分の「業」を認めてあげることから始めよう。そして一歩ずつ成長していけばいいのだと思う。

33歳からのルール
09

他人のためは自分のため

「情けは人のためならず」という言葉がある。もともとの意味は「情けは人のためではなく、いずれは巡って自分に返ってくるのであるから、誰にでも親切にしておいた方が良い」ということらしい。確かにその通りだ。

では、どのようにして返ってくるのだろうか？　いつ頃、返ってくるのだろうか？

貧しい人へお金を施したなら、自分が金持ちになれるのだろうか？　誰かを手伝ってあげれば、自分が苦しい時に手伝ってもらえる、という意味だろうか。おそらく、本来はそういう意味だろう。

でも、僕は違う、と思う。

情けをかけていつか返ってくる、のではなく、**情けをかけたその瞬間に、かけた分の何倍ものことが瞬時に返ってくる。**いや、気づかないうちに、返ってきている。そういうことだと思う。

「ドネーション（寄付）を受ける者よりも与える者の方が多くの物を得ている」という考え方がある。受ける者は物質的なメリットを享受することができる。しかし、与える者は「誰かの役に立っている」と精神的なメリットを享受できる。そしてご存じの通り今は心の時代である。物質的な幸福よりも精神的な幸福に人々は飢え、そして欲しているのだ。

だからこそ、33歳からの僕たちは**「受ける者」ではなく「与える者」になろう。**そしてそこで得た幸せをさらに多くの人へと還元し続けるのだ。

20代は助けてもらう時代だ。多くの年長者が僕たちを支え教え、手を貸してくれた。40代は社会へ貢献する年代だ。気力、体力共にピークを迎えるその年代で僕たちは仕事を通じて社会へ深く貢献していくようになる。そして30代はその転換期にあたる。そう、**「自分のため」から「他人のため」へと思考と行動を変換していく境目にあたる**のだ。

33歳、初めての転職でベンチャー経営者の端くれになった僕は、生まれて初めてまとまった額の寄付をした。寄付先はユニセフ。世界中の子供たちへの貢献だ。そして僕は大きなやすらぎを得た。そんなことを始めるのに33歳はとてもいい年齢なんだと思う。

33歳からのルール
10

オジさんになるな

33歳の僕は、ちょっと**オジさんになりかかっていた。**44歳の今の僕よりも見た目は明らかにオジさんだった。第一、服装がダサかった。楽チンなカッコをし始めていたのだ。よれよれのチノパンが多くなった。シワの目立たないコットンセーターやパーカーが多くなった。冬場に履くコーデュロイのパンツはウネがかすれていた。寝グセもあったかもしれない。

20代の頃は青山の美容院で切っていた髪が、やがて近所の床屋さんになり、さらには1回千円の10分床屋へと変わっていった。見事なまでのオジさんぶり。坂を転げ落ちるようだ。なぜ、そうなってしまったのか？　それは**他人の目を気にしなくなってしまった**から、だったと思う。もっとはっきりと言おう。それは**「異性の目」を気にしなくなった**からだ。

僕は26歳で最初の結婚をした（今は2回目の結婚生活を幸せにおくっている）。だから33歳の僕は、結婚後7年が経ち8年目に差し掛かった頃だったと思う。

結婚は危険だ。僕の場合は危険だった。伴侶を得るということは安定を指し、その**安定は時に生ぬるさをもたらす**。僕にとってはそうだった。そして僕は段々と異性の目を気にしなくなり、オジさんになっていった。

そんな僕が34歳の頃にハッと気づいた。何だ、オレ。いつの間にかオジさんになってしまっているじゃないか。イケてた頃のオレはこうじゃなかった。イケてた頃のオレはもっと攻撃的だった。牙があった。でも今のオレに牙はない。いつの間にか安定と平和を愛するだけのオジさんになってしまっている。**オスではなくなってきてしまっている**じゃないか！

オジさんっぷりは見た目だけじゃない。おそらく知らず知らずのうちに、仕事の進め方にも影響していただろう。当然のことながら生き方そのものも、だ。これはまずい。なんとかしなければならない。僕はイケてた頃の自分を思い出してそれを再現してみた。

20代の頃に通っていた美容院へ通い、ブティックで服を買い、存在すら忘れていた映画と文学の雑誌を買い、ギターを手にした。ぎりぎりセーフ、だった。危なく終わってしまうところだった。僕は自分らしさを取り戻した。そしてもう一度牙を取り戻した。

33歳の君はどうだろうか？　33歳以上の君は危なくないだろうか？　もしかしたら33歳以前の君もやばいかも……。鏡を引っ張り出して自分の顔を見てみたらどうだろう？

第2章

33歳からの「仕事」のルール

33歳からのルール 11

趣味なし上等。仕事バカ上等

村上龍の「無趣味のすすめ」（幻冬舎）を読んだ。何しろ宣伝のコピーが強烈だ。こんなにセクシーな文章を日経新聞の全五段でぶち抜きにされてしまったら、目が引きつけられないわけがない。僕は思わず貪《むさぼ》り読み、その足で書店へ向かった。新聞にはこう書いてあった。少し長くなるがそのまま転載してみたい。

わたしは趣味を持っていない。小説はもちろん、映画制作も、キューバ音楽のプロデュースも、メールマガジンの編集発行も、金銭のやりとりや契約や批判が発生する「仕事」だ。息抜きとしては、犬と散歩したり、スポーツジムで泳いだり、海外のリゾートのプールサイドで読書したりスパで疲れを取ったりするが、とても趣味とは言えない。

現在まわりに溢れている「趣味」は、必ずその人が属す共同体の内部にあり、洗練されていて、極めて安全なものだ。考え方や生き方をリアルに考え直し、時には変えてしまうというようなものではない。だから**趣味の世界には、自分を脅かすものがない代わりに、人生を揺るがすような出会いも発見もない。**心を震わせ、精神をエクスパンドするような、失望も歓喜も興奮もない。

真の達成感や充実感は、多大なコストとリスクと危機感を伴った作業の中にあり、常に失意や絶望と隣り合わせに存在している。

つまり、それらは**わたしたちの「仕事」の中にしかない。**

村上龍

そうか、それでいいのか。僕は思った。周囲の経営者と話していると、大概のトップはこんな感じだ。そう。自分の全人生と全財産を賭けて、自分の能力一つで勝負する。**ビジネスという最高のギャンブルに魅入られてしまったなら、他のあらゆるゲームは遊びにもならない、**と。

趣味なし上等、だ。何も経営者じゃなくたっていい。一流のビジネスマンは皆、同じ発想をしているはずだ。仕事バカで行こう。仕事を楽しもう。それに気づくのが30代ではないか、と思う。

33歳からのルール

12

仕事で泣けてる？

23歳から33歳までの僕はリクルートという素晴らしい会社にお世話になることができた。

そしてこの10年間、僕はサラリーマンとして充実した日々を過ごすことができた。わかりやすく言うと「濃い」時間を過ごした、のだと思う。

残業も多かった。休日出勤も多かった。そして寝食を忘れて仕事に没頭した。

だからこそ、**年に何度か仕事で涙することができた**。喜びの涙。感動の涙。そして悔し涙。

「仕事で泣くことがあるの？　オレはないなぁ」。学生時代の友人は口を揃えてそう言った。

それはそうだろう。仕事で泣ける、っていうことは、仕事で死に物狂いの経験をした、っていうことなんだ。死に物狂いまでいかない、一所懸命しか経験したことがない人は仕事で泣くことなど想像もできない、んだと思う。

33歳からの僕は、新天地であるベンチャー企業で役員として同じ思いをした。よく泣く取締役だったことだろう。それもこれも、おそらく死に物狂いでやっていたからだと思う。

そして40代の今、自分で会社を経営するようになってから、仕事で泣く場面が格段に増えた。20代、30代の頃の比ではない。それこそ、毎週のように感動の場面に出くわし続けるのだ。毎度毎度泣いている社長はカッコ悪い。だからこっそり隠れて泣く。これがなかなか大変だ。お陰でこっそり涙を拭くことが以前よりは上手になった。

僕が言っているのは物理的に泣け、ということじゃあない。泣けるくらいに**心が動くような仕事をしようぜ、**と言っているのだ。泣きたくない奴は泣かなくたっていい。こらえたっていいし、涙の気配もなくたっていい。そうじゃなくて、泣けるくらいに、感極まるくらいに、心が動くくらいに、**死ぬ気で仕事をしようぜ、**と言っているのだ。

30代は転換の年代だ。部下から上司へ。教わる立場から教える立場へ。その他大勢からチームのリーダーへ。そんな激動の年代だ。そこで完全燃焼できるかどうかは重要だ。**泣けるほどの仕事をした人は、幸せな40代を迎えるだろう。冷めた10年しか送れなかった人は、さらに冷たい40代を迎えることとだろう。**

仕事の一大転換を迎えるこの10年を熱く打ち込んでみなくては男がすたる、というものだ。

33歳からのルール
13
べき論をやめよう

「××すべきと思います」。僕が上司に提案するとすかさず、こう突っ込まれたものだ。

「で、お前はどうしたい？　すべきかどうかはどうでもいい。お前の意思はどっちだ？」と。

リクルートという会社は恐ろしい。相手がベテランだろうが新入社員だろうが、必ず最後には意思を問われる。そして恐ろしい結論を下されるのだ。

「お前が**やりたいのなら、やれ。**だが、どうしてもやりたいのでなければやるな。理屈じゃない。**大事なのは意思なんだ**」と。

この言葉こそまさに的を射ている。**どんな仕事も成否を分けるのは戦略ではなく情熱だ。**どんなに正しい戦略だろうが、それを動かす人の心に火が灯っていなければ失敗は確実だ。

逆を言えば、多少間違った戦略だろうが、それを行う人の胸に赤々と情熱の炎が灯っているならば、おそらく失敗はないだろう。なぜならば、戦略は変更すればいいからだ。そして、本物の情熱家のもとには、たくさんの応援団が集まってくる。やり方は彼らから教えてもらえばいいのだ。上司はそれを経験則で知っているから、先のような言葉を発する。

「べき論はどうでもいい。で、お前はどうしたいんだ?」と。

べき論で発揮される能力は、おそらく60%～80%がいいところだろう。ところが、「オレはこうしたいんだ!」という気持ちから発揮される能力は120～200%に達するような気がする。数値はともかくとして、べき論よりも発揮率が高まるのは間違いない。

だからこそ、33歳からの僕たちは**「べき論」をやめて、「やりたい」という気持ちベースで仕事をしていこう。**そろそろ僕たちの肩にずっしりとふりかかる責任は、能力を120%以上発揮しなくては振り払えないくらいに重くなっているのだから。

会社員である限り、「やりたいこと」だけをやるわけにはいかないだろう。しかし、33歳からの僕たちならば、「やるべきこと」だとしても「やりたい方法論」でやる自由くらいは持っているはずだ。提案は「こうしたいです」を語尾としよう。べき、ではなく。

33歳からのルール
14

期待を超える、って痛快

大卒後新卒で10年。33歳にもなると、仕事の要領を覚えてくる。それが曲者だ。

より少ない努力（Cost）でこれまでと同じ成果（Performance）を得るようになるのか、それとも、**従来よりも多くの努力（Cost）で、これまでよりもはるかに高い成果（Performance）を得るのか。**これは同じP／C値（Performance/Cost）でも、まったく違う結果をあなたにもたらすことだろう。

どうせなら、省エネルギーで燃費を稼ぐのではなく、ずば抜けたスピードや馬力を出してやろうじゃないか。33歳からの僕たちは、引退間近の老人ではない。まだまだこれから先が長い若手じゃあないか。身につけた経験と知恵をたんすにしまって余生を送るほど老けちゃいない。遠慮なくアクセルを吹かそう。

僕たちの仕事は、必ず相手の期待がある。相手とは顧客であり、上司や部下である。であるならば、その期待を裏切ってやればいい。ただし、反対の方向に裏切るのではない。相手が期待することを、相手が期待する通りに、ただしその**期待値をはるかに超えるようなレベルで裏切る**ような仕事をし続けるのだ。これは痛快だ。

例えば「来週末に提出してくれ」と言われたレポートを明日提出してしまう。驚く上司の顔をイメージしながらニヤニヤ笑いで仕上げたレポートは、より一層鋭いものになるだろう。

例えば自社商品を提案した時に顧客が「他社の商品はどうなんだろう……」と何気なくつぶやいたとする。そしてその後に「いや、何でもないです」と打ち消したとする。そんな時は相手の期待を超えるチャンスだ。その日のうちに自社製品と競合製品の比較表を作り、顧客へ送付しよう。いや、せっかくだから手持ちも効果的だ。「こんにちは！　先ほどお客様がおっしゃっていた資料、せっかくなので作っちゃいました。ご参考までにお使い下さい！」。どうせならば、気軽な感じで伝えたい。どうだろう。顧客の驚く顔が目に浮かばないだろうか。

33歳からの僕たちは、仕事のペースをある程度自分の裁量でコントロールできる環境にあるはずだ。だからこそ、**期待を超えるペースを常に自分のペースとしたい**。そうすれば、君の仕事はこれまで以上に楽しくなることうけあいだ。

33歳からのルール
15

残り5％に手を抜くな

いくら仕事のペースをコントロールできるようになったといっても、すべての仕事を相手の期待を超えるようにすることは難しい。いや、不可能かもしれない。中にはそこそこのレベルでお茶を濁すことも必要かもしれない。しかし、同じそこそこでも95％で手を止める癖だけはつけないようにしよう。

95％も100％もほとんど一緒じゃないか、と君は言うかもしれない。でも、わかるよね。**95％と100％には雲泥の差、月とすっぽんくらいの差がある**んだ。その差は数字に例えるなら実質の5％ではない。おそらく30％～40％、印象的には50％程度もの差があるのだ。

例えば営業マンの達成率が95％だったとしよう。僕だったら彼を誉めることはしない。なぜ残りの5％を死に物狂いでやり遂げないのか？とむしろ責めるだろう。そして何より、彼に100%を達成させようとしなかったその上司を叱るだろう。仮にそれが99%だって一緒だ。いや、むしろそのほうが問題かもしれない。**それくらいに100%には意味があるのだ。**

0%から始める5%は簡単だ。自転車で言えば軽いギア比で走りだすようなものだ。しかし95%から100%への5%はペダルが重い。全体重を載せて**立ちこぎで走る上り坂のような5%**だ。だから、ついつい僕たちは途中で自転車を降りてしまう。だって95%までできたんだもの。十分合格じゃないか。自分にそう言い訳をしてしまうのだ。

でもそこで自転車を降りた人は敗者だ。未達成者だ。そして、例えようもなく重たいペダルを最後までこぎきって100%のテープを切った者は勝利者だ。達成者だ。100%やり切ることの価値を知っている、勝利の味を知っている別次元の者になっていくのだ。

ならば、勝利者になろうじゃないか。自分に言い訳をして途中で投げ出す奴になるのはもうやめよう。**これくらいでいいだろう、と残りの5%に見て見ぬふりをするカッコ悪い奴**になるのはもうやめよう。誰かのため、じゃなく、自分のために。

33歳からのルール

16

小さな約束を守るのが大人

30歳にもなったなら、そろそろ若者扱いもされなくなるだろう。仕事人としても社会人としても、一人前として扱ってもらえるようになっていることだろう。そう、君はいつの間にか「大人」になってしまっているのだ。

大人とは何かとんでもないことをできるようになることではない。**大人になる、とは当たり前のことを当たり前にできるような人になる、**ということだ。しかしこれが存外難しい。

恥ずかしながら20代の僕は、遅刻の常習犯だった。朝、会社の朝礼に間に合ったためしがない。いつも朝礼の途中でこそこそとオフィスに入り、後ろの方で隠れながら朝礼をやり過ごし、終わってからまたこそこそと席に着く。その繰り返しだった。社内でできないことは外でもできない。当然のごとく僕は顧客訪問にもよく遅刻をした。さすがに大幅に遅れることはなかった。が、1分、2分の遅刻を当たり前のように繰り返した。時には5分、場合によっては10分遅れることもあった。そしてそれをさして悪いことだとも思っていなかった。5分遅刻したってほとんど誤差じゃないか。こっちには遅れる理由があるんだから仕方ないだろう。それくらいにしか思っていなかった。今思えば、恐ろしい思考回路である。

しかし、僕は33歳でサラリーマンを卒業し、ベンチャー企業の役員となった。そこで上司である社長から経営者のイロハを教わった。と同時に**ノーブレス・オブリージュ**という言葉を覚えた。「高貴なるもの故のより高い責務」それが言葉の意味だった。つまり、**位の高い者ほどより自分に厳しくあるべきだ、**というフランスの言葉である。それを裏付けるがごとく、ベンチャー企業の社長は時間に正確だった。どんな会議でもいつも最初に現れる。会議だけでなく飲み会にも一番最初に着席しているのは、いつも社長だった。

「**僕が遅れてしまったとしたら、数十人を待たせてしまうことになる**じゃないですか。それを考えたら、絶対に遅れるわけにはいかない、と思うんです。そうすると自然に早く着いちゃうんです」。あっけらかんと笑顔で社長は答えてくれた。当たり前のことを当たり前に実行している大人がそこにいた。僕はそれから遅刻をしなくなった。誰よりも早く着くことを心がけるようになった。そう、ようやく僕も大人になったのだ。33歳にして初めて大人の基本を身につけたのだ。

33歳からのルール

17

力がしぼんでしまった時は

「小倉さん、どうしたらそんなに一所懸命にできるんですか？ 僕はそこまでやる気が出ない。エネルギーが出ない。どうしたらいいんでしょう？」。当社の若手コンサルタントに同行すると、よく問われる質問だ。そんな時、いつも僕は同じことを答える。

「簡単だよ。**目の前の人の顔を見ればいい。**目の前にいる人の表情を、心の中を真剣におもんばかってみればいい。お客様は困っているだろう？ 君の部下も悩んでいるだろう？ それを見ることだ。そうしたら**よし、なんとか助けてあげよう！と自然と力が湧いてくる**さ。だって、人は誰でも良心を持っているのだから」と。

人は自分のためだけでは力が出ない。やらなければ叱られる。やらなければ損をする。そんな時でも誘惑はやってくる。「もうあきらめてしまえよ。どうせできなくても叱られるのは自分だけだ」。

一人の時はたやすく誘惑に負けてしまう。だって誰にも迷惑かけるわけじゃないから。自分だけが困ればそれでいいからだ。

ところが、これが他人のため、となると話は違ってくる。例えばどうしても遅刻できない顧客訪問があったとしよう。君は上司として部下に同行する立場だ。この商談をここまでまとめるために、部下は何十回となくこの顧客のもとへ脚を運んでいた。そして1ミリずつ、慎重に信頼を積み重ねてプレゼンテーションという場を勝ち得たのだった。その勝負どころに上司としての君が同行する。決めてあげたい。そんな場面だ。

君はおそらく遅刻することはないだろう。なぜならば、かわいい部下の大切な大切な商談であることがわかっているからだ。君の軽率な行動一つでこれまでの積み重ねがすべてぶち壊しになってしまう。それをわかっているから、君は絶対に遅刻をすることはない。

人は自分のためだけに発揮できる力はたかが知れている。けれど、**誰かのために、目の前で顔が見える人のためだったらば、ものすごい力が湧いてくる。**そのためには、目の前の人の顔を見ることだ。心の中を覗き込むように、相手の気持ちをおもんばかってみることだ。

それが秘訣だと思う。

33歳からのルール

18

一人の仕事はいつも最後に

20代の僕は主に企画畑で過ごした。2千人に迫る大所帯事業部の本社企画スタッフ。彼らが販売してくる商品を企画したり、価格設定をしたり、営業戦略を練ったり。大きな方針を立て、組織を動かしていくのが主な仕事だった。事業部トップの参謀役と言ったらわかりやすいだろうか。しかし、その**実情はそんなにカッコイイものではまるでなかった。**戦略を立て組織を動かす、などというたやすい仕事ではなく、現場の大反対をなんとかなだめおだて押し切ったり、バラバラに好き勝手を主張する部長たちの仲を取りもったり。戦略を立てることなんかよりは、**意見調整に神経をすり減らし大半の時間を割いていた**ように思う。

そして33歳からの僕には、この経験が大いに活きた。

20代の使命は一人立ちだ。そして30代の使命はチームへ影響力を拡大することにある。つまりは、**巻き込み。人を動かす、ということが仕事そのものになっていく**のだ。

その時に大切なことが一つある。それは、自分一人の仕事を優先しない、ということだ。例えば2千人が集まる全社集会を企画するとしよう。君は台本を作成し、演出を企画し、会場を押さえ、音声映像スタッフを手配するなど100を超えるタスクを管理しなければならない。

そんな時に君がやるべきは、企画の細かい作り込みではない。まずは**「他人を動かす」部分だけを先に動かす**のだ。具体的に言おう。本来であれば、君は詳細な台本と計画表を作り込みたくなるだろう。そりゃあそうだ。プラモデルを組み立てる際には設計図が必要だ。それが複雑なものになればなるほど、設計図の重要性は増すばかりだ。責任感のある君だからこそ、この全体図をしっかりと作り込んでから、外部へ依頼していきたい。君はそう思うはずだ。

しかし、それではチームは動かない。まずは出演者に声をかけ日程を空けてもらう。必要となる業者パートナーへ電話をかけ、日程を確保する。あらかじめ、**仕事を頼むことになりそうな相手にまずは声をかけ、心の準備をしておいてもらう。**そういうことが必要だ。

詳細な設計図は、声をかけてから作り始めることだ。詳細は後で送ります。それでいいのだ。

チームを動かすリーダーは、**自分一人でやる仕事は常に後回しだ。**そうではなく、関連する人への依頼・指示を最優先でまずは動かすこと。曖昧な指示になってしまってもいい。先に声をかけること。これが仕事の基本ルールだ。

33歳からのルール
19

できないことを人にさせるな

「手も足も出ない。そんな状況でした」。我がフェイス総研前部長の池田が言う。「前」とつけたのは、彼は現在管理職から専門職へと配置転換されたからだ。34歳になったばかりの彼の転換理由は**「自分でできるようにならないと管理職はできない」**というものだった。

元不動産のトップ営業マンとして入社した彼は、その手腕と人がらを認められてすぐにコンサルティング部門の部長へ抜擢された。しかしその抜擢はあまりに早かった。彼は、コンサルタントのプレイヤーとしての経験を何一つせずに管理職になってしまった。そんな彼が一癖も二癖もあるようなコンサルタントを操ることはたやすいことではなかった。

「お客様の要望だから、やろうよ、とメンバーに語るわけです。ところが『無理です』と答えられる。そんなことはないだろう、できるはずだ、と僕がいくら話しても『池田さんは現場をわかってない。できないものはできないんです』。そう言われるとグウの音も出ない。確信があっても何一つ反論できない。これじゃあ管理職はできない。そう思いました……。」

「自分ができないことを他人にやらせることはできない」。この重大さをわかっていた楽天の三木谷社長は、創業時マンションの一室でシステム開発を外注する前にある一つのことに時間とお金を割いていた。それは、事業展開のカギを握る大切なシステム開発を外注するにあたって、**自らがその能力を身につける**ということだった。当時、資金のなかった彼は、学生アルバイトを雇ってシステム開発のプログラミングを基礎から学んでいった。彼は「自分ができないことを他人にやらせることはできない」ということをよく知っていたのである。

とはいえ、何から何まで自分が経験する必要はない。元アップルコンピュータ社長、現日本マクドナルド社長の原田永幸氏は、いきなりトップにスカウトされたにもかかわらず同社の業績をV字回復させることに成功した。同氏はおそらくハンバーガーを焼いたことはないはずだ。しかし、彼はこれまでに営業成績を回復させたり、広報宣伝で顧客のハートをつかむといった大切な経験をたくさん積んできているに違いない。どのレベルまで腕まくりすべきか、はその職責により異なる。ただ、大切なことは一つだ。「自分ができないことを他人にやらせることはできない」。リーダーとしての職責を期待される33歳からの君に知っておいて欲しい言葉だ。

33歳からのルール
20

緊急でない重要事項で人生が変わる

「課長、君がやりたいって言っていた営業マンの早朝勉強会、あれいつから始めるんだい?」

「すみません。石橋商事の案件が片付いたら始めようと思います」「そうか。頼むぞ」。汗を拭く35歳の渡辺課長の顔を見ながら、僕はしばらく待つことにした。

その一ヶ月後、落ち着いた頃を見計らって僕は再度声をかけることにした。すると……。

「あぁ、本当にすみません。今度こそ必ずやります」。そして……。

もうオチはおわかりだろう。渡辺課長は、自分がやりたい、と言っていた営業マンの早朝勉強会を一度も開催することはなかったのである。

『緊急でない重要事項』をどれだけ行ったかで、その人の人生が決まる。

『緊急でない重要事項』を実行に移せば移すほど、君は幸せになり、それを後回しにして実行しなかったとしたならば、その人生は暗い灰色のものになってしまうことだろう。

では、『緊急でない重要事項』とは何か？ **「将来への投資活動」**や**「問題を未然に防ぐ予防活動」**のことだ。つまり、未来にとっての有意義な活動。しかし、それはどうしても急いでやらなければならないことではない。例えば次のようなことがらだ。

●学習や自己啓発　●健康促進と運動　●仕事の改善や革新
●マニュアル化やフォーマット化　●新商品開発　●戦略立案や共有
●ビジョン設定と共有　●同僚や家族との人間関係づくり

もしも君が『緊急でない重要事項』を行えば行うほど、「緊急かつ重要事項」が減ってきて、ゆとりある夢へと近づく、理想の毎日へと変わるだろう。逆を言えば、君が「緊急かつ重要事項」だけに忙殺され**『緊急でない重要事項』に時間を割かない限り、永遠にゆとりある理想の毎日はやってこない**ということになる。

この重大性に君が心から気づき、毎日の時間の使い方を変化させたとするならば、君の人生は必ずやガラリと変わっていくことだろう。『緊急でない重要事項』を一つずつクリアしていく度に、人は深い充実感とやすらぎを感じることができるからだ。それはまさに、君の人生そのものが変わることを意味する。30代は『緊急でない重要事項』に集中すべき年代である。

第3章

33歳からの「キャリア」のルール

33歳からのルール
21

キャリアデザインするな

「僕はコンサルタントに向いていないんじゃないでしょうか……」。今年でちょうど30歳になる若手コンサルタント井上さんが、僕のところへ相談にやってきた。青ざめた深刻な表情で歩き方も心なしか元気がない。もうダメだ……。そんな声が聞こえてきそうなくらいマイナスのオーラがあふれている。僕はそれがおかしかった。そしてニヤニヤとして彼にこう言った。**「つべこべ言わずにもうちょっとやってみろよ。石の上にも3年だぜ」**。

すると井上さんはキョトン?という表情をした。小倉さん、何を言っているんだ?と彼の顔に書いてある。それもそのはず。普段の僕は決してこんな浪花節を口にしない。どちらかといえば合理的に判断し、頑張りズムの根性論を否定しているからだ。僕はもう一度彼の顔を見た。まだ、腑に落ちない表情のままだ。きちんと説明してあげたほうがいいかな。僕は**キャリアドリフト理論**を教えてあげることにした。

スタンフォード大学のクランボルツ教授によれば、キャリアとは『自ら主体的に築いていく＝キャリアデザイン』するものであると同時に、**時には『流される＝キャリアドリフト』も大切、**だというのだ。まずは流れに身を任せ、様々な仕事や立場を経験してみる。その中で自分でも気づいていなかった価値観や能力に出会い、少しずつ明確な意思を持っていくようになることが重要、という考えだ。そして人生の中でほんの数回だけ訪れる、ここぞ、という時にだけ、流れに逆らう、もしくは竿をさす。

つまり、キャリアデザインをする、という考え方だ。彼はこれを**『プランド・ハプスタンス＝計画された偶然』**と呼んでいる。

将来に悩んだ彼にとって、僕が必要ではないか、と考えたのはこの『流される』という考え方だ。一生に数回だけ訪れる流れに逆らうには、着任して半年の君は、まだ早いんじゃないの？という風に言いたかったのだ。

20代のように青臭く頭ばかりで考えるのはもうやめよう。30代は運命という大きな流れを受け容れる、じたばたしない器の大きさを持つようにしてみてはどうだろうか。

33歳からのルール
22

「やってみたい」を仕事にするな

リクルート社にお世話になっていた33歳までの話だ。リクルート社には自己申告制度という配置転換希望制度がある。全員が希望通りになることはまずないが、希望を出せば、きちんと適性が検討され人事異動の対象候補に乗せてもらえる。誰がどの部署への異動を希望したかは公表されないが、僕は企画室や編集部という経営に近い部署で仕事をしていたこともあり、その手の人事情報を比較的早く知ることができた。そこで感じたのは「やってみたい」を仕事にしようとしている人がいかに多いか、ということだ。

リクルートという会社はその事業内容から営業職の人数比が飛びぬけて多い。そして、彼らの多くが希望する部署は、営業以外の華やかなクリエイティブ関連職。具体的には編集部、宣伝部、企画室といった部署だった。ところが、当該部署への異動を希望するメンバーの顔ぶれを見ると、明らかに適性がない、もしくは著しく低い人材が多かった。いや、それは言いすぎだ。言い方を変えよう。明らかに営業職を続けていた方が幸せであろう、という人たちが多かったのだ。

自分でも経験があるからよくわかるのだが、**人は往々にして自分とは違う才能に嫉妬する。**求めてもかなわない能力や適性を欲しがる。いつだって隣の芝生は青いのだ。ムダな苦労をしなくても、**自分だけが持っている本来の強みを伸ばしさえすれば、他の能力は仲間や応援団が助けてくれる。**それに気づかない。一所懸命に苦手な能力を手にしようとあがくのだ。

仕事選びは「得意」を基準にすべき、だと思う。つまり、他の人が汗をかき、七転八倒するけれど、自分にとっては楽ちんでスイスイできてしまうことがらを仕事にすべき、と思うのだ。僕の場合、それは「こんがらがった糸をほぐす」ということにある。迷路にはまりこんだ思考プロセスをさっとほぐして、核心をポン！と取りだす。「言いたかったのはコレでしょ？」と1秒で取り出すのが得意だ。そして難しいことをとても簡単な言葉で話す。ピン！とくるワンワードをひねり出す。それが上手いらしい。そしてそれを最大限に活かせるコンサルタントという仕事をしているのだ。これはきっと天職だと思う。

求人広告の年齢制限で一番多いのが35歳。キャリアチェンジなら最後にすべき年齢だ。その時に、ついはずみであこがれを仕事にしないことだ。君の能力を開花させることをお勧めする。

33歳からのルール

23

天命の見つけ方

33歳を過ぎたら**天命**を見つけよう。**君は何をするために生まれてきたのか？** 神様はなぜ他の誰でもなく君をこの世に授けたのか？ それを考えてみよう。

僕は書くために生まれてきた。 自分の体験を人々へ伝えるために生まれてきた。その体験とは失敗体験だ。そしてそこから見つけ出した、幸せに生きるための処方箋を伝える。それが天命だ。

僕の生い立ちと仕事人生を聞いたある人は、僕のことを**ファースト・ペンギン**、と呼んだ。南極の氷を覆いつくす無数のペンギンたち。彼らは氷の縁から海へ飛び込もうかどうか逡巡している。なぜならば目の前の海にはおいしい餌となる魚だけでなく、自分の命を狙うシャチや鮫などがうようとしているかもしれないからだ。

右往左往するペンギンたち。しかしある時に勇気ある一匹のペンギンが意を決してドボン!と海に飛び込む。それがファースト・ペンギンだ。彼は先行者利益として思う存分魚を喰らうことができるかもしれない。しかし、逆にシャチの餌になってしまうかもしれない。他のペンギンは彼のことをじっと見守る。1秒、2秒……。どうやら大丈夫そうだぞ。それ!　飛び込め!　ドボン!　ドボン!　ドボン!　これがファーストペンギンの役割だ。

僕はその話を聞いた時に合点がいった。「そうか。だから僕は人よりもたくさん失敗しているんだな。ただ失敗するだけならば意味がない。そうではなく、その失敗体験を後ろで逡巡しているペンギンたちに教えてあげるのが天命なんだ。だから失敗は失敗じゃない。**失敗は書くため、話すために必須の体験集めなんだ!**」。突然すべてが整合した。**僕に天命が降りてきたのだ。**このようにして僕は僕の天命を見つけることができた。38歳の時である。

君の天命は何か?　これまでの自分の人生につじつまが合う物語を見つけることが天命だ。しかし、それを見つけるのは難しい。そんな時にヒントになるのが、逆説的な見つけ方。すなわち「ストレス裏返し法」だ。人は自分の価値観に反する行動を取っている時にストレスを感じる。君がストレスを感じている場面はどんな場面だろう。それを裏返すんだ。そこに君の天命のヒントがある。33歳を過ぎれば人生の折り返し地点はすぐそこだ。そろそろ天命を見つけても悪くない年齢ではないだろうか。

33歳からのルール
24
独立、という手もある

40歳を過ぎた頃、同期の友人と酒を呑んだ。どうやら他社へ役員として転職するらしい。最後の職場とするつもり、のようだ。じんわりと彼の静かな覚悟が伝わってくる。

しかし、僕は驚いた。なぜ、彼は独立しないのだろうか?と。彼の最大の強みは抜群の情熱と実行力だ。それを裏付けるように彼はとにかく人なつこく好奇心旺盛だ。次から次へといろいろなことへ対して興味を持ち、遠慮せずに人に会い、次々とものごとを実現していく。とにかくすごいエネルギーの持ち主なのだ。

そんな彼がなぜ人へ仕えようとするのか? 奇異に感じた僕は彼にそのまま質問した。独立することは考えていないのか、と。

彼の答えは「自分には向いていない」というものだった。おいおい。僕は思わず笑い出した。お前が独立に向いていなくて、誰が向いているのか、と。

しかし、彼は言葉の通り、転職を実現した。そして独立、という道を永遠に封印した。「向いていないから」。もしそれが理由だとしたならば、それは明らかに間違いだ。100人彼の友人を集めれば最低でも90人は向いている、と答えるだろう。しかし、彼は「向いてないから」と答えた。本当の理由にふたをして、覆い隠す隠れ蓑として。

そして、本当の理由とは**「失敗するのが怖いから」**である。

恐怖の正体とは何だろうか？　それは「見えない怖さ」だ。暗闇は怖い。何かがいそうだからだ。しかし、どんなに恐ろしい幽霊だとしても、そこにいることがわかっただけで恐怖は和らぐ。落ちてしまえば命をなくすような大きな深い穴があったとしても、その穴の位置が見えていたら怖くない。避けて通ればいいだけだ。しかし、深く大きな穴があいているかもしれない真っ暗闇の夜道はとてつもなく怖い。

僕たち33歳以降の大人はほとんどの人がサラリーマンしか経験していない。だから**独立は真っ暗闇の夜道のように怖い。**しかし、やってみたらたいしたことはない。サラリーマンの頃と同じようなしんどさだ。だから、僕は君たちに言いたい。**最初から「独立」という選択肢を消さないでくれ、**と。無理にしろとは言わない。でも「向いてない」といきなりふたをしない考え方を常に用意しておいて欲しい、と思う。

33歳からのルール

25

会社へしがみつけ

「オレは会社へしがみつくことに決めた」。38歳の時、友人が言った。

「30年の住宅ローンを組んだ。子供の受験も近い。親は車いすだ。うんざりするほど背負うものがたくさんある」

「独立も夢見た。外資への転職話もあった。その度に悩んだ。一度しかない人生をオレは無難に生きるのか? しかしわかったんだ。そうじゃない」

「オレは**消去法で今の会社に残るんじゃない。**今の仕事こそがオレの力を最大限に発揮できる場所であることにやっと気づいたんだ。**あきらめるんじゃない。自分の意思で選んだんだ**」

「しかし、それは言い訳じゃないか? 何度も考えた。逃げではないか? 心の声が聞こえた。しかしそうじゃない。断言できる。そうじゃない」

「出世レースには乗り遅れた。同期で部長になったヤツもいる。次期役員が確実だろう。オレは5年遅れでようやく課長になったばかりだ。このままこの職場にいられるかどうかも怪しい。でも**オレはできるだけ会社にしがみつく。**少しでも長く今の職場にいたい。悪あがきをし続ける」

そう語る友人はカッコ良かった。彼なりの覚悟が見えた。

中途半端に夢を見続けるのでもなく、卑屈になるわけでもない。

自分という資源を最大限に輝かせる一つの方法として「会社にしがみつく」ことを選んだ、というだけのことなのだ。

カッコ悪いのは「選ばない人生」だ。

「今のオレは仮の姿だ。本当のオレはこんなもんじゃない。いつかスゴいヤツになってやる」。そう言い訳しながら何もしない。

どんな結論であろうが**自分なりに覚悟して自分で人生を「選ぶ」ヤツはカッコイイ。言い訳して「選ばない」ヤツ、人生を「保留」し続けるヤツはカッコ悪い。**

30代は人生を「選ぶ」年代だと僕は思う。

33歳からのルール

26

スキルじゃない

「僕は技術を究めたいんです！　管理職にはなりたくない」。クライアント先の技術課長が大声で叫んだ。ここはフェイス総研主催のリーダーシップ研修会場。36歳の田村課長は、会社から求められる若手育成やマネジメントがうざったくてしょうがない、と正直に言う。「会社から管理職のポジションを求められているのはわかっているんです。でも本当は拒否したい。僕は専門職を究めたい。総合職として部下の育成や指導などはしたくないんです」。

「それでいいんじゃないの？　専門職を突き詰めればいいんだよ」。コンサルタントの僕が言った。

すると田村さんは嬉しそうにこう言った。「それでいいんですか？　嬉しいな。これで部下の教育とかの面倒なことがなくなる。技術に集中できる」と。

私はすかさず、こう言った。「田村さん、それは間違いだよ。**専門職こそ部下の育成に責任**

を持たなくてはならない」。

部下を持つ総合職は人を管理し、技術を司る専門職は人に触れなくていい。そんな単純な区分けは大間違いだ。専門職こそ、人へ対する影響力がとても重大になってくる。

例えばコンサルタントは代表的な専門職だ。しかし、一流のコンサルタントは数字や書類を扱う職人ではない。顧客経営者をうならせ、心をときめかせる一流の人たらしでなくては務まらない。その対人関係を抜きに計数や論理だけを操っている限り、そのコンサルタントの給料は上がらない。会計士だって同じだ。ＳＥも同様。彼らは人へ与える影響力の人数が小さいだけで、その範囲では必ず強力な影響を人へ与える力を持っている。

総合職だろうが、専門職だろうが、**最も大切な能力はリーダーシップであることに変わりはない。**どんなに素晴らしい知識や技術もそれを発揮しなければ意味がない。決してＯＫの水準を下げず妥協せず、やり切る力、他人へやり切らせる力をリーダーシップと呼ぶ。

優秀な専門職は間違いなくこのリーダーシップを持ち合わせている。つまり、専門職も管理職もリーダーシップが最も重要、ということになる。33歳、入社して10年。キャリアの行き先が大きく分かれてくる。しかし**専門職になったからといって対人関係から逃げることはできない。**専門スキル、じゃない。大切なのはリーダーシップだ。

33歳からのルール

27

ウルトラCはない

30代は充実の年代だ。責任範囲が一気に拡がり仕事がおもしろくなり、そして辛くなる。そうなると僕たちは焦る。早く力を身につけなければ……。このままでは置いていかれる、と。そして、**一発逆転をねらう。ウルトラCを決めようとする。そして失敗する。キャリアに、人生にウルトラCはない。**エレベーターで一気に駆け上がれば、その分落ちるスピードも速い。そうではなく**一段ずつゆっくりと階段を歩いて昇ることが一番早い。**

グラフの横軸に時間を、縦軸に成長度を取り、人の成長をグラフに書くとその形は段差の少ない階段状になる。決して順調な斜め右肩上がりの直線にはならない。つまりしばらくの間は時間だけが経ち一向に成長しないということだ。半年から2〜3年。ずーっと横ばいが続くだろう。この間は苦しい。そして焦る。ウルトラCを狙いたくなる。しかしそこは我慢だ。**階段を一段ずつ上がる道を選び、毎日の小さな変化を着実に続けることだ。**そうすると、これまでできなかったことが突然できるようになっている自分にハッと気がつく。これが成長のプロセスだ。

僕は社会人になってからストレス解消のためにひたすら飲み、食べた。そのお陰でみごとにメタボな体を手に入れた。そして焦った。なんとかしなくては。そしてダイエットを試みた。しかし愚かな僕はウルトラCばかりを狙い続けた。具体的には、断食する。1日1食にする。炭水化物を一切取らない、などなど。一気にエレベータで駆け上がる道ばかりを試みたのだ。そしてみごとにリバウンドを繰り返した。そんな意思の弱い僕が初めてダイエットに成功して2か月で10キロ体重を減らすことに成功した。秘訣は簡単。一段ずつ階段を登る道を選んだだけなのだ。具体的には、3食食べる。お腹いっぱい食べ我慢しない。そして小さなカロリーを疎かにしないことだ。具体的にはドレッシングをノンオイルにする。肉の脂身を食べない。ロース肉をやめる。野菜を大量に摂る。それだけで一気に10キロ落とせたのだ。僕は驚いた。**これまでバカにしていた小さな積み重ねの力の大きさにびっくりした**のだ。

30代は気力体力がみなぎっている。不可能を可能にできそうな気がする。そしてそこに罠がある。ウルトラCを狙ってエレベーターを使わないことだ。30代の血気を抑える者が成長の果実を手にするのだと思う。

33歳からのルール
28
上司のせいにしない

仕事柄、人材育成に関する取材をよく受ける。そして「どうすれば人を育てることができるでしょうか」と質問される。難しい質問だ。ことはそんなに簡単ではない。しかし記事を書く人はシンプルだ。多少正確さを欠いてもわかりやすい、短い一言を好むものだ。だから僕はそれに合わせる。多少正確さを欠くが大筋間違っていない一言を選び答える。つまり「問題を相手のせいにさせないこと。他責の考えを改めさせることです」と答える。

これを裏返すと、僕たちが成長するための秘訣が見つかるだろう。そう。僕たち自身があらゆる問題を他人のせいにせず、自分が原因だ、と考えること。**他人のせいにして思考を放棄しないこと**だと思う。

僕たち30代には目標がたくさんある。その目標は20代の頃の目標と違い、達成が困難な目標ばかりだ。あるべき姿たる目標と現状との間にギャップが生じると、人は不快な心象を持つ。これを**認知的不協和**と呼ぶ。そして**認知的不協和**が起きると人はそれを解消しようと試みる。その場合の手段は大きく分けて二つだ。つまり、**他責と自責**。問題の原因を他人のせいにする（他責）のか、それとも自分に原因を求めるのか（自責）の違いだ。

他責の人は、**目標達成できない現状を上司や会社のせいにする。**「所詮無茶な目標だったんだよ」、「上司は現場が見えていない」と。そしてガード下の居酒屋で上司の悪口を肴に酒を飲み、自ら努力を放棄する。そして決して成長することはない。

自責の人は、**目標達成できない原因を自分の中に求める。**「自分の努力が足りない。能力が足りない」と考え、人一倍努力し勉強する。そして**メキメキと成長していく**のだ。

愚痴をこぼすだけの人生を選ぶのか。努力し勉強する人生を選ぶのか。答えは簡単。後者を選べばいい。ただし、厄介なのはこれからだ。**他責の人は自分が他責であることに気づかない。**自分は自責だ、とうそぶきながら夜ごと上司の悪口を言って溜飲を下げるのだ。

成長したいのならば、徹底的に自責になることだ。自分一人では手に負えないような大きな事柄だとしても、それを上司のせいにしない。自分ができる小さなことに集中することだ。そうすれば30代の君は大きく成長するだろう。カッコイイ大人になっていくのだと思う。

33歳からのルール
29
「いつか後で」は一生実現しない

20代の僕は勉強を後回しにしていた。「時間がない」。それがいつもの言い訳だった。しかし、それはウソだ。時間はいくらだってある。単に「他のことを優先していた」だけ。勉強を大切にしていなかっただけ、のことなのだ。

「人生で最も大切なことは、最も大切なことを最も大切にすることである」

忙しい33歳からの僕たちは、最も大切な勉強を最も大切にしなくてはならないのだ。

僕は仕事柄多くの売り込みを受ける。自ら教育研修の会社を経営しているにもかかわらず、たくさんの研修やセミナー案内が毎日のように届くのだ。20代の僕であれば、「このセミナーに出席したいな」と思ってもすぐに申し込みをせずに、**「後で」**検討しよう、とやっていた。そして当然のことながら**「後で」は実現しなかった。**必ず慌ただしい日常に飲み込まれ「最も大切なことを最も大切にしなく」なっていたのだ。

33歳、初めてサラリーマンから経営者になった僕は、行動を大きく改めた。セミナーDMを開けて良さそうなテーマだな、と思ったらすぐにその場で申し込み、手帳に書き込む。1分たりとも後回しにしないようにしたのだ。

例えば、朝自宅で新聞を読む。二面、三面の広告で「読みたいな」と思う本を見つけたとしよう。僕はその場で書斎のパソコンへ移動しすぐにアマゾンで注文してしまう。たとえ朝食の途中だろうが関係ない。1分たりとも後回しにしないようになったのだ。

思い立ったら即行動。これは人づきあいにも言える。

「今度、食事でもしましょう」。挨拶代りにこう言う人は多い。しかし本当に食事が実現することは少ない。皆、社交辞令程度に口にしているだけなのだろうか。僕はそうじゃないと思う。本当はまた会いたい。しかし、食事をする、ということを「最も大切にしていない」だけなのだ。そして「いつか後で」と考える。**「いつか後で」は一生実現しない。**日付を決めて手帳に書き込まない「緊急でない重要事項」は絶対に実現されないのだ。それに気づかない愚かな30代は驚くほど多い。だから僕は君には気づいて欲しいのだ。「いつか後で」は一生実現しない、ということを。

33歳からのルール

30

ムカデのダンス

我がフェイス総研の今井部長が言った。「部下の主体性を待つ。口を出してはいけない、と思ったんです」。彼の表情におかしな影を見つけた私は質問をした。「**頭で考えていないか？ 直感ではどう思った？**」口出ししないとまずいぞ、そう思わなかったのかい？」と。今井部長は、思わずウッとうなると下を向いてしまった。どうやら図星だったらしい。

社会人生活も10年を過ぎ30代迎えた僕たちは、必要に迫られて様々な本を読み、セミナーに参加し研修を受ける。少しでも自分に気づきをもたらし成長したいからだ。そして様々な教えを受ける。「今までの自分は間違っていたな。変わらなければならない」と思う。

不思議なもので**そう思えば思うほど、体が動かなくなる。**「べき論」でがんじがらめにされてしまうのだ。これまで何も考えずに動いていた自分を否定することで、これからの一挙手一投足に恐怖を感じてしまう。また失敗をやらかすのではないか？ それが怖くて手足が動かなくなってしまう。そして挙句の果てが**「頭で考える」**ようになってしまう。そして、その行動は今まで以上に失敗を呼ぶ。そしてさらにわけがわからなくなってしまう。まさに「ムカデのダンス」だ。

児童文学者ミヒャエル・エンデの物語に「ムカデのダンス」という寓話が出てくる。百本の足を使って美しくダンスを踊るムカデに嫉妬したカエルは、ある時彼にこう尋ねた。「ムカデさん、その素晴らしいダンスは百本のうちどの足から動かしているのかい?」と。するとムカデは途端に考え込みダンスを踊れなくなってしまったというのだ。こうなってしまわないための秘訣は、逆説的であるが**「学んだことをすべて忘れる」**ことしかない。必死に反省し、心から悔い改めよう、そう思ったら逆説的だがそのことをいったん忘れてしまうことだ。そうして、**自分の心のままに、直感を信じて行動を選択する。**そう、自分の良心を信じることだ。

必死に反省し、悔い改めようと思った君ならば、学んだことは既に体の中に溶けている。血肉となり君の性格の一部に加わっているはずだ。それを信じる。そうしないと頭で考えてしまい間違った結論を出してしまうからだ。もしも間違った判断を下した時は、君の良心が「チリリン!」とベルを鳴らしてくれるだろう。センサーが働くのだ。**学んで忘れる。**さもなくば「ムカデのダンス」になってしまうぞ。

第4章

33歳からの「習慣」のルール

33歳からのルール

31

朝早く起きる

33歳でサラリーマンからベンチャー企業経営者に転身した僕が、真っ先に手に入れた習慣は早起きをすることだ。それ以来僕は毎朝5時には起きる。遅くても6時には目が覚める。

「朝起きるのが遅い経営者はいません。経営者は必ず朝型なのです」。有無を言わさずそう教えてくれたベンチャー企業の社長の言葉を信じ、僕は朝型に生まれ変わった。そうしたらすぐに人生が変わった。これまでの**夜型の人生がいかに無益か、**がすぐにわかった。

まず、**仕事の効率が圧倒的に違う。**疲れ果て眠気にまみれたクタクタの脳みそを使っても仕事は一向に進まない。何度も間違え、やり直し、無駄に時間だけが過ぎていく。仕事をするほどに能率はドンドン落ち、疲労だけがたまっていく。考えてみればこんなに無駄な働き方はない。

しかし朝型であれば話は別だ。睡眠をとったばかりのスッキリとした頭は回転スピードが全く違う。まるで脳みそをじゃぶじゃぶと洗濯し曇りを取り払ったかのようにスッキリと先々が見通せる。仕事が嘘のようにスイスイと進む。そしてなんとも気分がいい。

朝の空気はうまい。朝聞く鳥の声は心地よい。朝の太陽の光は柔らかい。自分が生き返ったような気分のまま早朝の仕事を片付ける。**最高に気分の良いスタートが切れるのだ。**

せっかく早起きの習慣を手に入れたなら、仕事だけに時間を費やすのはもったいない。**一日の始まりを是非体で感じて欲しい。**近所を散歩する。朝陽を浴びながら近所のオープンカフェでコーヒーを飲む。そんなゆとりを楽しんでみよう。

これまで車通勤をしていた僕は通勤方法を徒歩と自転車に変えてみた。そして、時間に余裕をもって会議時間の1時間以上前に早朝出社をするのである。すると会社までの道が別世界であることに気がついた。街路樹で鳥たちが騒いでいる。路地裏から生活者の匂いがする。中学生が大騒ぎで楽しそうに通学している声が聞こえる。これまでただの風景だった街に人の生気を感じるようになったのだ。

30代になったら、夜遊びをやめて朝型に変えよう。そして生まれたての街の風景を楽しもう。最高に能率の良い仕事のスピードを楽しもう。もう夜型には戻れなくなるはずだ。

33歳からのルール

32

1日10分手帳を眺める

朝、会社のデスクにたどり着いたなら、最初にすべきはパソコンを開くことではない。いや、**最初にパソコンを開いてはいけない。**その前に必ずすべき大切な10分間が待っている。

パソコンを開いてしまったら、あっという間に日常の喧騒の渦に巻き込まれる。メールを開いたらもう終わりだ。君は朝の貴重な時間にしかできない聖なる行為から遠ざかり、二度と戻ってこれなくなる。だから、パソコンを開く前に集中した10分間を取らなければならないのだ。

それは手帳を開くことである。この一週間、そして今日という貴重な一日をどのように過ごすのがベストか？　**こと細かに詳細な時間割をつくるのだ。そして「緊急でない重要事項（52ページ参照）」の比率を少しでも上げるべく、そのための時間を確保するのだ。**

毎朝10分手帳を見るだけで人生が変わる。僕が保証する。僕自身、それで人生が大きく変わったのだ。

それまでやりたくてもできなかった勉強と自己啓発がスイスイと進むようになった。面倒がって放っておいた昔の友人や大切な家族との時間をとれるようになった。そして何より仕事の質が劇的に向上した。考えてみたら当たり前のことだ。「緊急かつ重要事項」に忙殺されることをやめて、「未来への投資活動」「未来の問題予防」の時間である**「緊急でない重要事項」に割く時間を飛躍的に増やしたのだから。それで人生が変わらないわけがない。**

しかし、これに気づいていない人のなんと多いことか。僕の直観では世の中の95％の人がこの習慣を持っていない。だからムダな時間を過ごしてしまうのだ。

「何が大切かを明確にしていないからすべてのものが大切に見える。すべてのものが大切に見えるからすべてのことをしようとしている。周りの人はその姿を見て私たちがすべてをすることを期待してしまう。すべてのことをしているから何が大切かを考える時間がない」

（フランクリン・コヴィー・ジャパンのトレーニングプログラム『プライオリティ』より）

毎朝の10分の習慣を持つだけで人生が変わるのならやらない手はない。そう思わないか？

33歳からのルール
33

ブレークダウンする

例えば君が勉強不足を反省してスクールへ通うことを決意したとしよう。君はおそらく手帳の「やることリスト」に「スクールへ通う」とだけ書くだろう。そしておそらくそれは永遠にかなわず、勉強不足は解消されない。誓ってもいい。なぜならば「スクールへ通う」というタスクは**粒が大きすぎて実行することができない**からだ。僕ならばこのタスクをこのように**細かく砕いてから手帳に書き込む**だろう。すなわち以下だ。

●興味のある習いごとをWEBで検索する　●上位3つの候補を決定する　●上位3つを訪問し雰囲気を確かめる　●一つに決定し申し込みをする

といった手順だ。そしてさらに大事なのは手帳への書き方だ。それは細かくタスクブレークした前記をすべて一つ一つ**曜日と時間を決めて、手帳に書き込む**のだ。そう。**締切のない「緊急でない重要事項」に締め切りをつくる。**そして実行へ向けて自分を追い込むのだ。

33歳からの僕たちは、自分で自分の人生をコントロールできるようにならなくてはならない。人に流され、怠惰な自分に流されたままでは幸せな人生を送れない。そして**人生を立て直すのに33歳は最適な年齢だ。**大学を卒業して社会人生活も10年が経つ。ここで立て直すことができなければおそらく一生今のままだろう。それでいいのか？　イヤならばやり直そう。

そのカギを握るのが、手帳をつける、という行為とブレークダウンだ。

もちろん、この方法は仕事にも大いに役立つ。というよりも、ブレークダウンなしに仕事は前に進まない。そして、ハードルが高く難しい仕事に出会った時ほどこの考え方は役に立つ。例えば「新規事業の事業計画を立てる」などのとてつもなく高いハードルも、細かくブレークダウンすれば大したことはない。巨大な壁が手の届く高さへすっと低くなったのを感じられることだろう。例えばこんな感じだ。

●事業計画書の作り方の本を買って読む　●新規事業を立ち上げた上司先輩に話を聞きに行く　●新規事業の候補を3つピックアップする　●該当事業の外部環境と内部資源の分析を行う　●該当事業の競合調査を行う　●財務的事業計画を立てる　●人員計画・商品戦略・販売宣伝戦略を立てる　●ダウンサイドリスクを検討する

このやり方を身につければ人生の勝利者に近づく。自分の人生を自分で操れるようになるのだ。

33歳からのルール
34

1日1回自分を取り戻す

33歳からの僕たちは極めてストレスフルな日常を過ごしている。部下と家族とたくさんの顧客を持つ。一人一人に誠実であろうとすれば、大変なストレスを感じながら日々を過ごさねばならない。いくら若くても体が音を上げるはずだ。その前に心がやられてしまう。

だから33歳からの僕たちは**ストレスを解消する時間を意図的につくらなければならない。**

具体的に言えば、1日に1回は**「自分を取り戻す」時間をつくる**のだ。

例えば僕は、毎日1回、ジャズを聴きながら雑誌をめくる時間をつくる。もちろん片手にはお気に入りの酒だ。ダークラムやモルトウイスキー、もしくは樽臭のする白ワインなんかが常だ。

これが僕にとって自分を取り戻す大切な時間だ。10分でも15分でもいい。誰にも気兼ねなくリラックスする時間を確保するのだ。

お気に入りのバーならベスト。そうでなければジャズの流れるスターバックスで。さもなくば自宅の書斎でもいい。僕にとって何より大切なことは、この時間を一人で過ごす、ということだ。

ただし、人によっては逆かもしれない。一人になることがストレスな人だっているだろう。大切なことはその形ではない。**リラックスでき、自分自身を取り戻せるスタイルを見つけること**だ。そしてそれを**1日1回確保しよう。**

ストレス解消としては運動も大切だ。しかし、運動することが逆にストレスになるくらいならやらない方がいい。これも楽しみながらやることが長続きのコツだ。僕の場合、都内の移動を自転車に変えた。銀座、丸の内へちょっと買い物に行く時、渋谷や新宿へ映画を観に行く時、車ではなく、自転車を使う。これはまったくストレスにならない。運動していることを忘れて楽しめるから続いている。同様に週に1～2回プールへ泳ぎに行くこともストレス解消にとてもいい。僕の場合、走っているといろいろなことを考えてしまうが、泳いでいる時だけはなぜか頭が真っ白になる。そして終わった後の疲れが心地よい。子供の頃、夏になると僕は毎日近所の海で泳いでいた。だからだろうか、水泳の疲れが自分を取り戻すスイッチになるような気がする。**君が自分を取り戻すスイッチは何だろうか。**

33歳からのルール
35

小刻みな谷間に本を読む

33歳からの僕たちに読むべき本は多い。そして本を読む時は、時間と心に余裕が必要だ。だからなかなか本を読めない。机の上に本が山と積まれ、やがて本を買うことさえやめていく。

中には「本なんて読まないほうがいい。体験がすべてさ」と語る人がいる。僕は半分だけ正しいと思う。**「体験も大事。本も大事」**。これが実際だと思う。体験抜きで本を読んでも机上の空論だ。逆に客観性や俯瞰視点＝ディソシエイトのない体験は普遍性を持たない。両者は相互に行き来し、リンクすることで初めて脳に刻み込まれ腹に落ちる。

類まれなる実績を残したカウンセラーの技術を解き明かすことで体系化された、NLP（Neuro Linguistic Program）という理論がある。それによれば、人間の脳は理論を理論として理解するだけでは腹に落ちない、という。理論を自らの過去の体験と結び付けリンクさせることで初めて身体化（Kinestic）つまりは腹に落とすことができるらしい。だから**本**

を読む時は内容を一つ一つ自らの体験に当てはめながら読むと良い。格段に理解が進み、内容を決して忘れなくなるからだ。

で、その本を読む時間の作り方だ。コツは簡単。**小刻みな空き時間に読む**ことだ。僕の場合、お行儀が良くないかもしれないがトイレに必ず単行本を置いておく。電車で移動する時に本を持ち歩く。待ち合わせの時に読み、寝る前に読む。その**小さな積み重ねが膨大な量になる**のだ。例えば、トイレに置いた本は2週間もあれば読み終える。単純計算すれば**トイレだけで月に2冊読み終える**ことになる。大した量だと思わないか？

どの空き時間にどのような本を読むか、のセレクトも大切だ。僕の場合、固めのビジネス書はトイレで読む。不思議なことに集中できるからだ。他にやることもないので誘惑がないからだろうか。特にリーダーシップや組織論、企業変革など経営理論に関する本が多い。ずいぶんとまじめなトイレ空間だ。たまにくるお客さんはびっくりしているかもしれない。

一方で、電車の移動や待ち合わせなどには、もう少し読みやすいものが適するだろう。例えば僕の場合は、心理学や社会学、行動科学などの手軽な読み物だ。そして興奮した脳をリラックスさせるベッドサイドには、ドキュメンタリーや小説が置いてある。君も早速本を分類してトイレや枕もとに忍ばせてみてはどうだろうか。わずかな時間の威力にきっと驚くはずだ。

33歳からのルール

36

月1回行きつけの店へ通う

行きつけの店を持つと大人になったような気がする。お気に入りのバーに顔を出した時に「小倉さんいらっしゃい」と迎えてもらうとホッとする。イタリアンレストランに行った時に「ちょうどいいところにきたね。最高のスカンピが入ったよ」。なんて言われると嬉しくなってしまう。食事、グルーミング、買い物、リラクゼーション。大人の入り口にいる30代の僕たちは、そろそろ**各ジャンルに行きつけの店を持ちたい。**そして大切な休養時間を豊かでリラックスしたものにするのだ。

40歳を過ぎた時に僕は「店の開拓リタイア宣言」をした。つまり、新たな店を開拓することをやめて行きつけの店だけに通う、と宣言したのだ。といっても自分自身に、ではあるが。

人生仮に80年とすると、40歳でちょうど折り返し地点となる。視野を広げ体験を増やす20代。自分の得意と好みを見つける30代を過ぎ、現在の僕は、最高の時間を消費する40代を迎えている。だから1食たりともおろそかにしたくないし、1日たりとも無駄にしたくない。

そんな今の基礎は30代につくりあげたと言えるだろう。

33歳からの僕たちが持ちたい行きつけの店の例として、僕の行きつけがあるジャンルをあげておく。参考にして欲しい。


【食事・呑み】●居酒屋・小料理屋　●焼き鳥　●ホルモン焼き　●すし　●てんぷら　●お好み焼き　●おでん　●あんこう・すっぽん鍋　●そば・うどん　●イタリアン・スペイン料理　●タイ・ベトナム料理　●洋食屋　●中華（上海・四川・北京）　●焼き肉　●韓国料理　●すき焼き・しゃぶしゃぶ　●カウンターバー　●ジャズクラブ　●ジャズ喫茶　●オープンカフェ

【グルーミング・リラクゼーション・趣味】●美容院　●マッサージ（指圧・台湾・タイ古式）●岩盤浴　●スパ・サウナ　●映画館（名画座）

【買い物】●ブティック　●文房具屋　●本屋　●輸入雑貨屋　●家具屋　●CDショップ　●家電　●スーパー　●アウトドアショップ　●サイクルショップ　●時計屋　●楽器屋

書いているうちにうずうずしてきた。そろそろパソコンを閉じてぶらりと出かけようか。

33歳からのルール

37

毎日湯船に浸かる

33歳で初めて転職をした。リクルート社での課長からITベンチャーの取締役への転身だ。日本一忙しい会社の全社一忙しい部署からの転職だ。僕は余裕でやれる、と思っていた。

しかし期待は裏切られた。ITベンチャーでの仕事は忙しすぎて速すぎて、とてもじゃないがついていけなかった。こんなはずはない。急いで立て直そうとするが立て直せない。僕は打ちひしがれながら、仕事にのめりこんだ。結局、最初の1ヶ月のうち半分くらいは会社に泊まり込んだ。夜中に机の下に段ボールを敷く。雑誌を枕にして仮眠を取る。清掃のおばちゃんに起こされてから近所の銭湯へ行く。そして湯上り石鹸の香りと共に仕事を始める。その繰り返しだった。

しかし、いくら33歳の若さとはいえ、いつまでも体力が続くものではない。睡眠時間も3~4時間のままでは体調が悪くなってくる。このままではまずい。そんな時に社長がこうアドバイスをしてくれた。「小倉さん、**睡眠時間が3時間でも平気になるコツがあるんですよ！**」と。この人は何を言い出すのだろう？　びっくりした僕に社長はこう教えてくれた。「どんなに疲れていても、**寝る前に必ずお風呂で湯船に浸かるんです。**シャワーだけで済ませちゃいけません」。

理屈はこうだ。ぬるめの湯船に浸かると、体を臨戦態勢で興奮させる交感神経が安まりリラックスさせる副交感神経が活発になる。緊張がほぐれ安定した脳波が出るようになる。そして体温が高まり、湯上りに低くなる。ある実験によると睡眠導入に一番因果関係が高いのは体温変化だと言う。一度あがった体温が低くなる時に人は眠くなるらしい。「そうすると眠りの深さが変わるんです。ぐっすり深く眠る。そうすると3時間で平気になるんです！」と。

33歳からの僕たちは睡眠時間が短い。そんな時はこの**「湯船に浸かる」睡眠法**が役立つだろう。僕は眉つばだな、と思いながらも素直にやってみたが、確かに効果的だ。眠りの深さが違う。ぐっすりと眠れ、朝の爽快感が変わる。なるほどな、**睡眠時間を増やすのではなく、眠りの質を高める、**という方法があったのか。僕は目からうろこが落ちる思いだった。

僕は3時間睡眠を勧めているわけではない。そうではなく睡眠の質を高めることを勧めているのだ。なぜならば**33歳からの僕たちにやりたいことは多く、24時間はあまりに短い。**睡眠時間の質を高めることは、すなわち起きている時間の質を高めることにもつながるのだから。

33歳からのルール

38

長期休暇の予定を立てる

いつも長期休暇の目前になってから休暇の存在に気づく。来週から連休なんだな、と。そしてあわてて休暇の予定を立てる。少しは旅行でもしようか、と宿を探す。だがどこも空いていない。新幹線もいっぱいだ。そしてあきらめる。家でゆっくり過ごそうか、と。

家で過ごす長期休暇も素敵だ。だが33歳にもなり、妻や子供もいる身であれば、家族のためにも**長期休暇の過ごし方を大切にしてみてはどうだろうか。**つまり先々を見越して予定を立てるべきではないか、ということだ。

「長期休暇の予定を立てる」。最近の僕は守れていないが、仕事が理想的にまわっていた時の僕はこのルールをバッチリ守れていた。その頃を思い出しながら書いてみたいと思う。

長期休暇といえば、年に3回あることになっている。冬は「年末年始休暇」、春は「ゴールデンウィーク」、夏は「盆休み」だ。残念ながら秋はない。これを計画的に過ごすには、遅くても**一つ前のイベントが終わるまでに次の計画を立て、予約を入れたい**ものだ。特に海外旅行を計画するのなら、そうしたい。最近は当たり前になったマイレージを使って飛行機を押さえるのであれば、これは必須だ。

つまり、夏の盆休みの旅行はゴールデンウィーク中には予定を立て予約しておく。これくらいの時間感覚で行動したい。そうでなくては、人気スポットやマイルを使った飛行機の予約は不可能だろう。

お気に入りの宿だったならば、**帰る時に次の予約を入れていく**、というのも賢い手だ。僕はこの方法で正月休暇の宿を3年連続で予約した。つまりチェックアウトの時に、翌年の予約を入れるのである。「お世話になりました。1年後の年末年始もお世話になりたいので今から予約できますか?」と。

そんなことをいっても先々の予定はわからない、と言う人がいる。が、それは言い訳だと思う。予定は予定。どうしても無理ならば変更すればいい。キャンセルすればいい。半年先の予定が決まってからでは遅いのだ。先に「緊急でない重要事項（52ページ参照）」の予定を入れ、それに合わせて「緊急事項」をコントロールする。そういう風に人生を持っていく。それを始めるのに30代は最適な年代だと思う。

33歳からのルール
39

アイディアをメモる

不思議なことに**アイディアはメモを取りづらい状況で湧いてくる。**僕の場合は、①**車の運転中** ②**風呂で湯船に浸かっている時** ③**寝る前** の順番で湧きおこるから大変だ。想像して欲しい。どのシチュエーションも非常にメモが取りづらいのだ。

そこで僕は必死に記憶した。運転が終わるまで、お風呂を出るまで、朝起きるまで。そして一度たりとも成功した試しがない。みごとなくらいに、きれいさっぱり忘れてしまうのだ。

過去はいつだって美しい。最高のアイディアを釣り上げ目前で逃がしてしまった瞬間を思い出すと、悔やんでも悔やみきれない気持ちになるものだ。そこで考えた。アイディアをメモする方法を手に入れようと。僕の場合は、それぞれの場所にそれぞれのガジェットを置くことで対応に成功した。

① 車の運転中　の対策として、ボイスレコーダーを買った。片手で持ちすぐにスイッチを

入れられる。ドライバー席の手が届く範囲に専用ポケットを貼り付け、常に待機させてある。ひらめいたらすぐに手に取り声を録音すればいい。これで忘れることがなくなった。

②風呂の中　の対策として、スキューバダイビング用の水中黒板を買った。もちろん手のひらサイズの小さなヤツ。蛍光色の黄色でいかにもマリンスポーツ用、といった感じだ。これがなぜか家の風呂場に置いてある。これも結構大活躍だ。連載コラムのタイトルなど、このお陰でどれだけ助かったかわからない。

③寝る前　の対策が一番簡単だ。枕もとにペンとメモを置いておけばいい。そして面倒がらずに体を起こしてメモを取る。これでOKだ。

33歳を過ぎた君は、責任あるポジションを任されるに従って仕事の質が変わってくるのを感じているに違いない。プレイヤーとして職務をこなす20代はHOWの時代だ。与えられたWHATを実現すべく必死にやり方を模索する。もしくはHOW MUCHの時代だ。どれだけたくさんやるかが勝負。つまりはHOWから逃れられない。しかし責任ある**30代はWHATの時代だ。**つまり、何をすべきなのか？　**仕事そのものをつくり出し、方針をつくり出すのが主たる仕事になってくる。**だからアイディアが重要になる。そしてそのアイディアをメモする習慣が大事になる。君のアイディアスポットはどこだろうか。

33歳からのルール

40

年3回両親に会いに行く

20代の僕は1年間1度も親に会わない、なんてことがざらにあった。実家へ帰省するのが面倒だ。それに帰省したってやることもなければ、落ち着く部屋もない。そのたびに落ち着かない気持ちになり、やがて帰るのが面倒になる。そういう繰り返しだった。

つまりは、自分に得るものがない。だから帰らない。そういう判断だった。完全に自分のことしか考えていなかった。**両親の気持ちなど想像もしなかった。**

40代の僕は少なくても**季節の替わり目ごとに実家へ帰省する。**といっても既に家はなく、母の墓参りと介護入院している父の見舞いに訪れるだけのことであるが。今の僕は、**両親のために帰省する。**僕を生み、育ててくれた両親に少しでも恩返しをしたい。**相手を思う気持ちが自分の喜びと一つになった。**つまり大人になったのだと思う。

「親孝行したい時には親はなし」という言葉がある。まさにその通り。33歳を過ぎ、自分が人の親になって初めて親の苦労がわかる。ありがたさに気づく。そこで親孝行をしようと思う。その時には既に親はこの世にいない。大変実感値の高い言葉である。

僕はそうならないように33歳の時にこう宣言した。「これから毎年、親子水入らずで海外旅行しよう。お母さんの行きたいところへどこへでも連れて行ってあげるよ」と。この時の喜んだ母親の笑顔が忘れられない。33歳でサラリーマンを卒業し、ベンチャー企業の役員になった僕は、人へ感謝することの大切さに気づきつつあった。生まれて初めてユニセフにまとまった額のお金を寄付したのもこの年だ。結局僕は、約束通りとは行かずペースは減ったものの、2年に1度は必ず母親を連れて親子で海外旅行をした。最初は中国。2度目はイタリア。3度目はハワイ。4度目は台湾。すべて母親の希望通り。そして旅行は親子2人きりの水入らずだった。5度目の計画はフランスだった。しかし、その直前、母は田舎で倒れ寝たきりとなる。そしてその4年後に帰らぬ人となってしまった。それ以来、僕はフランスへ行っていない。とても母を置いて行く気にはなれないのだ。

お盆と正月とゴールデンウィーク。**長期休暇がとれる年に3回は両親に会いに行こう。自分のためではなく両親のために。**やがてそれが僕のように自分のためになる日がくるだろう。後で後悔しなくて済むように。

第5章

33歳からの「上司・部下」のルール

33歳からのルール
41

上司をたてろ

33歳を過ぎた僕たちは、仕事にちょっと自信が出てくる。オレだったらこうするな、と軽く上司を批判したくなる。そして実際、ガード下の居酒屋で愚痴をこぼす。「上司がバカだからよ」「あの発言はないよな」と、**無意識に上司の悪口を言ってしまう。**するとなんだか自分が正しいような気がしてくる。強くなったような気がする。同僚が「そうだ、そうだ!」と賛同する度、確信が増してくる。自分は正しい。上司がおかしい、と。

しかし、よく考えて欲しい。これでチームは強くなるのか。上司の悪口を言っている君と賛同した仲間たちのストレスは発散されるだろう。しかし、翌日から始まる厳しい目標へチャレンジするチームにプラスになっただろうか? いや、間違いなくマイナスだ。君の軽率な発言でリーダーとメンバーの溝は深まった。リーダーの印象は悪くなった。君だけはいい顔をすることができるようになったのだが。

本当の大人はリーダーをたてる。たとえ腹の中で「ちょっとおかしいな」と思うことがあったとしても、**メンバーの前では絶対にリーダーを悪く言わない。**おべんちゃらじゃない。点数稼ぎでもない。それが本当のチームを思う行動だから。強いチームを作り勝利したいと願うなら、リーダーをたてることぐらいは苦ではなくなるはずだ。

チームの**ナンバー2とはリーダーに代って嫌われ役ができる人だ。**リーダーの代わりに泥をかぶり、たとえリーダーが悪いと思っていても最後までリーダーを守り抜く人だ。だからリーダーに信頼される。そしてチームの捨て石となり、チームが結束力を保つのだ。

リーダーの悪口を言う人は自己正当化がしたいだけだ。自分が正しい、自分の方がリーダーにふさわしいと訴えたいだけだ。本当にリーダーの行動を正したい、と思うのならば、居酒屋で愚痴る前に、正々堂々と1対1で忠言すればいい。偽善者と被害者を演じるのはもうやめよう。

君がパーフェクトじゃないように、リーダーだってパーフェクトじゃない。欠点なんてあって当たり前。それを補うために君たちがいるのだろう。だから**リーダーの欠点を笑う前に、こっそりと欠点を補ってあげるのだ。**そしてリーダーの強みを引き出す。それがチームにとって最大の貢献になるからだ。もしも君が仕事を任せてもらえないとしたら、原因は君にある。自分を殺し上司をたてる。それができるようになった時、君は次のリーダーになる。

33歳からのルール

42

上司に噛みつけ

30代の僕たちは、チームの中軸メンバーだ。課や班などの小さな組織ではリーダーの役を担い部や事業部などではフォロワーの役割を担う。まさに間に挟まれる板挟みの状況だ。そんな君には、現場の声が多く寄せられるだろう。そしてその声の多くは不平不満だ。**不平不満がない組織はない。**そして、不平不満が解決されると、今度は別の種類の不平不満が起きてくる。**組織とはそうやって螺旋状のレベルアップ、つまりはスパイラルアップをしていくもの**なんだ。

だからといって、現場の不平不満を押し潰してはいけない。それを**上司に上申し現場の問題を解決する役割を君は期待されている。**それは若手たちからの期待だ。そして上司からの期待でもある。その時に君が気をつけなければならないのは、若手たちと一緒になって上司批判や経営批判をしてはならない、ということだ。そしてもう一つ重要なことがある。『**ガキの使い**』**にならないことだ。**

現場と経営をつなぐ**連結ピン**。これが君に求められる役割だ。上の声を下に伝え、下の声を上に伝える。君の存在があって初めて組織はうまくまわる。君次第で組織が決まる、と言ってもいい位に重要な役割だ。しかし、多くの連結ピンは自分の役割をわかっていない。つまり『**ガキの使い**』を演じてしまうわけだ。そして上司に叱責される。メンバーから愛想をつかされる。僕たちが間違ってしまう『**ガキの使い**』とは、上の声を下に、下の声を上に伝えるだけのメッセンジャーボーイになってしまう、ということだ。伝書鳩と言ったほうがわかりやすいかもしれない。

伝書鳩は意思を持たない。つまりは単なる情報の運送業だ。だったら、そんな奴はいらない。電子メールで事足りる。そうではなく、本来君が期待されている役割とは「翻訳」だ。

上司の声を**「翻訳」**して部下へわかりやすく伝える。さらには、メンバー一人ひとりの性格や価値観を考えて一番モチベーションが上がるような言い方に**「翻訳」**するのだ。

逆も大切だ。部下の不平不満をそのまま上にあげるのではなく、それを解決する現実的な**「提案」**へと変換し、上司に解決を迫るのだ。そしてそこまでしても、上司が相手にしてくれなかったとしたら**正々堂々と上司へ噛みつけ**。それが君の役割であり、君にしかできない仕事だ。伝書鳩ではない本当の連結ピンの役割とはこういうものだ。ただし、**上司に噛みつく姿をメンバーたちには見せないように。**そして噛みついている自分を自慢してはならない。それが本当の男だ。

33歳からのルール

43

嫌われ役を買って出ろ

「休憩時間にトップにこう怒鳴られ、ショックを受けました。『**俺を悪役にするな！　なぜお前が嫌われ役になれないのか！**』と。私はその通りだと気づき、次の日から鬼に変わったのです」。僕が尊敬する先輩コンサルタントが、30代前半にベンチャー企業のナンバー2だった頃のエピソードだ。

彼はある中堅企業で社長の右腕ナンバー2として経営企画室長の要職にあった。そして、全国の営業部長が集う大切な営業会議の運営責任者を務めていた。しかしその会議は最悪な状態だった。自分より年上の営業部長たちが、毎回遅刻してくる……。資料が不備だらけで数字が合っていない……。

彼はあきれながらも、ものを言えず唇を噛んでいたというのだ。すると会議の途中で突如社長が怒鳴り始めた。「この有様は何だ？　まじめにやる気があるのか？」。

ナンバー2の彼はそれを聞きながら溜飲を下げる思いがした、と言う。「やはり俺は正しかった。社長よ、よくぞ言ってくれた」。

しかし会議の終了後に彼は社長から怒鳴られた。「俺を悪役にするな！　なぜお前が嫌われ役になれないのか！」。

強い組織のトップとはいつもにこにこ優しく笑っているものだ。トップ自身がこと細かに問題をあげつらい、ガミガミ言っていては本当に強い組織はできない。しかし一方で**トップは、誰よりも細かいところに目が行ってしまう。**誰も気づかないことに気づきイライラとしてしまうのだ。そう。強い組織でトップがにこにこしていられるのは、代わりに組織のリーダーたちが鬼になって嫌われ役を買って出ているからなのだ。

つまりトップが細かくガミガミ言ってしまうのはトップのせいではなく、リーダーたちが不甲斐ないせいだとも言えるだろう。

『**リーダーは嫌われ役を買って出よ**』。そうでなくては組織がうまくまとまらない。そして組織のトップには、いつでもにこにこといい人を演じてもらうのだ。それが30代の僕たちにできるベストな役回りだ。決して**トップに嫌われ役をやらせて、自分自身がいい人の役をやってはいけない。**君が果たすべき役柄は明確だ。

33歳からのルール
44

上司を追い抜かせ

33歳にもなると、上司が物足りなく感じてしまうことがあるだろう。君がきちんとフォロワーシップを発揮して、上司をバカにせずたてていたとしても、どうしても納得できない時があるだろう。なぜ、こんな人が自分の上司なのか？　首を傾げたくなる時もあるだろう。

そんな時でもそれを口にしてはならない。経営者が彼を選んだのには理由があるのだ。そしてそれを表明することは酒の肴にはなるかもしれないが、決してチームのためにならないからだ。黙って飲み込む。そんな腹を持っていたい。

しかし、それでも自分を押し殺すことができなくなったら、**黙って、上司を追い抜かせばいい。君が上司になればいいのだ。**さらに言えば。時間は多少かかるかもしれないが、君が上司の上司になればいい。それだけのことだ。

僕がお世話になっていたリクルート社では、上司をクビにした猛者たちが何人もいる。彼らは、上司へ公然と噛みつき、責め、その地位から引きずりおろした。もちろん彼らが口だけの奴じゃないことは確かだった。**業績を上げていない人の意見は説得力を持たない。**上司を引きずりおろした彼らは皆一様に全国でトップクラスの業績を叩きだしていた。だから説得力があった。

しかし、そんな彼らは誰一人として現在同社の経営ボードにはいない。今、若くして同社を牽引する経営ボードの役員たちのほとんどは、**ダメな上司に噛みつかずじっと我慢して彼らを追い抜かしてきた人ばかり**だ。真の経営者とはそういう人たちなのだと思う。

かつて、同社で上司を引きずりおろそうと公然と噛みついている僕の友人がいた。あんな上司は許せない。いてもいなくても同じじゃないか、と彼は言った。しかし、僕と同期のある友人は彼をたしなめた。「確かにその通りかもしれないな。でもまあしょうがないじゃないないか。オレたちが業績で支えるしかないだろう。上司だってきっと大変なこともあるさ」。

そう言って自分がやるべきことを黙々とこなしていた。そんな彼は今、同社の役員だ。公然と噛みついていた方は、と言えば……。語るのはやめておこう。

ダメな上司を認めてあげる。そしてチームのためになすべきことだけをなす。そして**颯爽と上司を追い抜かす。**カッコイイ生き方じゃないか。33歳からの僕たちのお手本とすべき生き方だ。

33歳からのルール

45

後輩にびびれ

桜の花びらが街をピンク色に染める4月、オフィスに初々しい新入社員がやってくる。おそらく、たどたどしい挨拶をするだろう。とまどいながらオフィスを右往左往するだろう。

そして、僕たちに清々しい空気を送り込んでくれるに違いない。

33歳の君であれば、ちょうど10年前にそんな様子で社会人生活を始めたことを思い出すだろう。あれから10年。月日が経つのは早いものだ。

さて、そんな時、君だったらば初々しい新入社員を見てどのように反応するだろうか？「よしよし、かわいい子供たちよ」と優しい笑顔を送るだろうか？「まだまだ学生気分だな、オレが教えてあげよう」と上から目線で見るだろうか？

もし、そうだとするならば、君はイマイチ、だと言わざるをえない。なぜならば、健全な先輩はそのような反応をしないからだ。

新入社員を見た先輩社員の表情とは、本来、青ざめた危機感溢れるものでなければならない。「やばい……。**彼らに追い越される……**」。

伸びる会社の新入社員とは、毎年着実に「質」がアップしているもの。つまり、昨年採用した新卒よりも今年採用した新卒はレベルが高くなければおかしいのだ。先輩社員は、それを敏感に感じ取り「以前に入社できてラッキーだった。今年、採用試験を受けていたら、とてもじゃないが合格できなかっただろう……」と青ざめるくらいで、ちょうどいいのだ。

成長する人は皆一様に謙虚だ。年間数万人の管理職へ研修を行う我がフェイス総研では老若男女のたくさんの方が受講される。そしてそれぞれの感じ方で学びを持ち帰る。毎回、僕が驚くのはその中で**一番謙虚に深く学ばれるのは多くの場合経営トップである、**ということだ。

社長もしくはそれに準ずるナンバー2が一番多くの気づきを持って帰り、アンケートは感謝の言葉で満たされる。しかし、その逆の存在もある。「ほとんどが知っていることでした」「学びはない」などと啖呵《たんか》を切り、受講中もふんぞり返りあくびをしている。その多くは管理職になりたての鼻息荒い30代だ。新入社員を見てびびる30代と、学ぶことなどない、と鼻息荒い30代。君はどっちの存在だろう。30代ビジネス人生はまだ先が長い。謙虚な姿勢で誰からも学ぶ。君には是非、**後輩にびびる感受性豊かな30代であって欲しい**ものだ。

33歳からのルール
46
部下を真剣に叱れ

「鈴木課長は優しいねぇ」。34歳、我が社の営業課長は皆から慕われている。困っている部下がいればすぐに声をかけ、忙しい部下がいれば自分の仕事を投げ出してそれを手伝う。まさに部下思いの典型のような存在だ。ただし、彼は重大な弱みを抱えている。それは**部下を叱れない、**ということだ。

「鈴木課長はずるい」。彼の上司である高木部長はそう指摘した。それは高木部長がメンバーを厳しく叱責した時のことだ。やるべきことを守らずチームとお客様に迷惑をかけたメンバーに対して率直に指摘し怒りを露わにしたのだ。驚き謝るメンバー。そんな彼の姿を見て、鈴木課長はメンバーをフォローする側にまわったのだ。「気にするな。このまま頑張れ」と。

それを聞いた高木部長は課長を叱った。「気にするな、とはどういうことだ。気にして欲しいからオレは叱ったのに」。確かにその通り。本来であれば、鈴木課長はメンバーをフォローしつつも、何がいけなかったのか？どうすればいいのか？を説かなければならなかったはずだ。それより何より、上司の言葉を否定してはならなかった。たとえそれがメンバーの心を和ませるものであったとしても。

僕はこの話を聞き、本当に鈴木課長は優しいのだろうか？と疑った。**目の前で泣いている子供をあやすことだけが優しさではない。**鈴木課長が泣いている子を懸命にあやしている後ろで、もしかしたら泣かずにぐっと奥歯を食いしばり頑張っている子もいるかもしれないのだ。そんな子を放っておいて泣いている子だけを大切にする。それが果たして優しさなのだろうか？と僕は思う。そして、僕たちが考える人材育成の観点からも彼の態度は間違っていると思う。こんな格言がある。**「お腹を空かせている子供に魚を採ってあげればその子は一日空腹を満たせる。しかし魚の取り方を教えてあげたならば、その子は一生空腹を満たせるようになる」**というものだ。

つまり、狭い範囲だけを見て短期的な優しさを示すのではなく、広い範囲を見て長期的な優しさを選択する。**本当の優しさとは、相手の人生を幸福にすることだ。**相手がなりたい自分つまりは人生のビジョンを実現することを助ける。それが上司となる僕たちの仕事だ。**優しさの意味を履き違えてはいけない。**

33歳からのルール
47

部下へ謝れ

33歳を過ぎれば部下を持つ人も多くなってきたことだろう。そんな君は部下の人事考課に責任を持っているはずだ。部下の評点を決め上申し、決定結果を本人へ通知する。

部下が優秀で点数が高ければ簡単だ。フィードバック面談はとても楽しいものとなるだろう。しかし、逆に点数が低かった場合はつらい。多くの場合、部下は低い評価に納得しない。それを口に出そうが出すまいが、**人は誰しも自分を否定されたくない。**常に自己の尊厳を保ちたいのだ。しかし、全員に高い評点をつけるわけにはいかない。そのジレンマの解決を君は一人で背負うのだ。

では、評点の低い部下へ対して、どのようにフィードバックすればいいのだろうか。**納得してもらうために問題点をあげつらうべきだろうか？**「あれもできていなかった。これもダメ。本当に君はダメだった。これじゃあ高い点をもらえなくて当然だ。どうだ納得したか？」と。

しかし、部下の立場にも立って欲しい。一方的に至らなかった点を並べられ責められて、挙句の果てに低い評価を押し付けられる。どう考えたってたまったものではない。部下の立場でこれを聞けば、このように聞こえることだろう。「お前の点が低いのは単なる自業自得だ。上司のオレは悪くない。だってオレはお前に言っただろう？　あれとこれとそれをやってお け、と。言われたことをやらなかったのはお前が悪い。言ったオレはまったく悪くない」と。果たしてそうだろうか。悪いのは部下だけで上司に責任はないのだろうか？

もうおわかりだろう。**部下がダメな原因は上司にある。部下ができない責任は上司にある。**それを棚に上げて一方的に部下を叱る上司はダメ上司だ。部下から信頼されなくなることを100%保証する。**部下から信頼される上司は面談で部下を叱らない。**おそらくこのような言葉を発することだろう。「今回君の点は低かった。この原因は君だけじゃない、僕にもあるんだ。もっと早く君を助けてあげるべきだった。低い点数がつく前に、君の成長を応援してあげることが僕にはできたはずだ。申し訳ない。もう一度やり直そう。次回は高い評価をもらえるようオレも全力で手伝うよ。厳しいことも言うかもしれない。是非オレについてきてくれ」と。

いつだって部下の問題は上司の責任だ。その姿勢でいる限り部下は君についてくる。そして成長してくれるのだ。

33歳からのルール
48

お客様へ苦言を

コンサルティング契約を結んでいる企業の社長と常務から相談を受けた。「現場管理職たちの目標設定がめちゃくちゃだ。内容のレベルが揃っていないし、時間もかかる。何度もやり直してようやく目標が決まるのはいつも3ヶ月後。彼らをなんとかして欲しい」と。

僕は質問した。現場へ渡す前に役員たちで方針を定めるミーティングをやっているのか？と。我が社では、四半期が変わる最終週の土日を潰して次の四半期の目標について議論している。部署別の方針をスローガンにし、それを測定する数値指標を議論する。もちろん部署単位の目標数値も細かく設定する。その方針に従って現場は各個人の目標を設定するのだ。

なんでもかんでもボトムアップで現場へ任せればいい、というものではない。 大きな方針、やるべきことはトップダウンで。やり方の工夫や個人の目標レベルは現場に任せる。**トップダウンとボトムアップの併用が組織運用の基本セオリーだ。** それを伝えると社長は苦々しそうにこう言った。「何もやっていなかったな。問題はオレたち役員にあったのか……」と。僕はきっちりダメを押した。**「はい。その通りです」**と。

我がフェイス総研の理念ＩＤＥＡ（イデア）には次のような行動指針がある。

【お客様との約束】「必要であればお客様にとって耳が痛いことも勇気を持って伝えます」

トップである僕自身が理念を実践している。ただそれだけのことだ。

「でも小倉さんは社長だし年齢も40歳を過ぎている。僕たち30歳そこそこの若手にはそれは無理です」。そんな声が聞こえてくる。しかし本当にそうだろうか。僕がリクルート社でコンサルタントをしていた32歳の時、僕はクライアントの人事責任者にこう伝えたことがある。

「あなたは少し僕たちコンサルタントに頼りすぎではないか？　角が立つからといって僕たち外部に言わせるのもわかる。しかし、内部のあなたが厳しいことを言えるようにならなくては本当に組織はよくならない。もっと勇気をもって厳しいことも言って欲しい」と。

生意気なことを言ったものだ。言った内容が正しかったかどうかもわからない。感じたままを伝えたままでだ。しかし、その顧客はそれを受け容れ逆に僕を信頼してくれた。その担当者は今、僕の経営パートナーとなっている。**真剣に相手のことを思えば苦言だって言うだろう。**要は君が真剣になれるかどうかというだけのことだ。

33歳からのルール

49

お客様へ恩返し

20代の僕は、営業で受注をもらった時に「自分の力だ」と思っていた。30代の僕は、受注をもらった時に「チームの力だ」と思っていた。40代の僕は今、それを**「お客様のお陰だ」**と思う。たくさんある競合や代替商品ではなく、当社の商品を指名いただいた。それがお客様のご恩でなくていったい何だろう、と思うのだ。しかし、それに気づいたのは最近のことだ。なんと不遜な営業マンだったことだろう。今思い出しても恥ずかしいくらいだ。愚かな僕の二の舞を踏まぬよう、33歳からの君はお客様に心から感謝できるようになって欲しい。べき論ではなく、心の底からごく自然に感謝が湧きおこらなくてはならない。いくら不遜な僕でも、ビジネスはお客様のお陰で成り立っている、ということは20代から知っていた。コンサルタントの勉強を積んでいた僕は、ビジネスがCSつまりは顧客満足で成り立っていることも知っていた。給料は会社からいただくのではなくお客様からいただいている、ということも知っていた。つまり**頭では、お客様に感謝していたことになる。**しかし、そうではなく心の底から「ありがたいなぁ」と思い、思わず深々と頭が下がってしまうようになったのは40歳を過ぎてからのことなのだ。だからこそ、この本を手にした君には、僕以上に幸せな人生を送って欲しい。33歳からの君には心の底からお客様へ感謝し、ご恩を感じて欲しいのだ。

我がフェイス総研の理念ＩＤＥＡ（イデア）には次のような行動指針がある。

【お客様との約束】「選んでいただいたことに感謝し必ず成果でご恩を返します」

これは当社に限ったことではない。33歳、そろそろ本当の意味で「感謝」を知る年代の君たちに是非実行して欲しい行動指針でもある。

恩返しとは口先だけで感謝を伝えることではない。それは実行で示すものだ。当社の例で言えば、お客様の管理職を責任を持ってお預かりし、彼らの意識を変革しリーダーシップを発揮できるようにしてお返しする。つまりトップの分身をつくり組織全体を変革していくことが唯一最大の恩返しであるのだ。

お客様へご恩返しをしよう。人としての良心を持つ君ならば、それに気づけばごく自然に体が動き出すはずだ。余計なことを考えなくていい。**仕事のご恩を仕事で返す。**それを精一杯やることの先にだけ、仕事を超えた人と人とのつながりが生まれるのだ。

33歳からのルール
50
仲間を助けろ

33歳を過ぎた僕たちは、2つに分かれたキャリアコースの狭間にいるはずだ。部下を持ち組織運営で貢献するゼネラリストコースと専門性を発揮してプレイヤーとして貢献するスペシャリストコースの2つ。どちらで行くか、これから決まる。もしくはどちらかの道を歩み始めた。そんな年頃だろう。

しかし、どちらのコースで頑張るにせよ、僕たちは仲間を助けなくてはならない。ゼネラリストだから他人を助けるが、スペシャリストだから自分の仕事だけしていればいい、というものではない。スペシャリストだって困っている仲間を助けなくてはならないし、**自分が深めた専門領域のナレッジをチームの皆へ惜しみなく分け与えなくてはならない。**その役割も含めてのスペシャリストなのだ。自分のことだけを考えるのがスペシャリストではない。そこのところを間違えないようにしなくてはならない。

しかし、ここで気をつけなくてはならないのは、人の手助けばかりしていればいい、というものでもない、ということだ。**人を助ける前に自分の責任を全うせよ。自分の目標達成をおざなりにしたままで、人を助けるなんてのは本末転倒、**ということだ。そんな暇があったなら死に物狂いで目標を追いかけて欲しい。それが仲間へ対する責任を果たす、ということだ。

善良で優しい君が仲間の手伝いばかりをしていることで、自分の目標数字をまったく果たせなかったとする。そのツケは誰でもない、君が大切にしている仲間のもとへ向かうのだ。**君の未達成分を誰かが上乗せして達成しなければならない。**君ができなかった業務を誰か他の人がカバーしなくてはならない。**人の助けをしている場合ではない。**我がフェイス総研の理念－IDEA（イデア）には次のような行動指針がある。

【仲間との約束】「自分自身の目標達成が仲間へ対する何よりの思いやりであることを忘れません」

まさにそういうことだ。まずは自分が人に迷惑をかけずに自立すること。そして自立したらその力を誰か他の仲間の仲間のために使うこと。これが相互依存の状態だ。**自立してこそ相互依存がある。**自立さえしていない者同士は互いを助けることなどできない。だからこそ。早く自立し、そして仲間を助ける。早くそのステージに上がって欲しい。決して自分勝手ではなく。

第6章

33歳からの「人づきあい」のルール

33歳からのルール

51

心尽くしは時間尽くし

仕事柄、多くの方から手紙やメールを頂戴する。文面には書籍や講演に関する感想や感謝の言葉がしたためられている。丁寧だがビジネス文書のひな型のような無難なものもあれば、わざわざ筆文字で書かれた手書きのものもある。

当たり前であるが、電子メールよりは直筆、ひな型のものよりはオリジナル性の高いものの方がありがたみが増す。送ってくれた相手の心が伝わってくるような気がするのである。

なぜそうなるのか？ それは**「心尽くしは時間尽くし」**だからではないかと思うのだ。

自分自身が手紙を書く時のことを思い出して欲しい。便箋と封筒を用意して手書きで書くのは億劫だ。しくじってしまった時の書き直しは神経を逆なでする。それにわざわざ切手を買ってポストに投函するのも面倒だ。手紙を書くのはとにかく時間がかかるのだ。

電子メールならまだ楽だ。いや手紙やメールを送らないほうがもっと楽だ。

しかし、33歳からの僕たちは大人の礼儀を守らなければならない年齢に突入している。「奴は面倒くさがり屋だからな」と笑って**大目に見てもらえるのは、20代が最後**だ。

だから、手紙を送る。**心を尽くす。つまりは時間を尽くす、**ということなのだと思う。

「心尽くしは時間尽くし」は、手紙以外のあらゆることに共通する。

先日、ある知人から丁寧な贈り物をいただいた。僕の出身地新潟県の手に入りがたい地酒と海産物の名門鹿島屋の「いくらのしょうゆ漬け」が箱に入っていた。僕は恐縮すると共に感嘆の吐息を漏らした。なぜならば、それは僕の大好物であったからだ。贈って下さった方は、僕のメルマガのファンである、と言う。そしてブログを隅々まで読んで下さっている方だった。僕のブログには「いくらのしょうゆ漬け」と日本酒について書かれていた。それをわざわざ探して買い求めて下さったのだ。

忙しい中、時間を割いてくれたのだろう。いくつか百貨店を巡ったかもしれない。荷物も重かっただろう。街へ出るのに時間もかかっただろう。**いただいた物の後ろにはたくさんの心が透けて見える。**人生で最も貴重な資源である「時間」を尽くしていただいたことが推し図られるからだ。だからこそ、僕たちは感謝の気持ちを表すために「時間」を尽くさなくてはならない。そして「時間」を惜しんではならない。それが33歳からの大人の礼儀なのだから。

33歳からのルール
52

小さな約束を守る

人づきあいの基本は**「信頼関係」**にある。信頼とは、言葉の通り信じて頼れる関係のこと。相手から信じてもらい、頼ってもらえるようになることが、人づきあいを豊かにする唯一の方法なのだ。その最も基本的なことの一つに**「小さな約束」を守る、**ということがある。ポイントは「小さな」というところにある。例えば法的な文書を交わすような「大きな」約束は誰もが守る。しかし、日常交わす些細な約束は得てして反故《ほご》にされてしまうものだ。だからこそ、そこでみんなと大きな差がつく。例えばこんな約束だ。

●経理や総務への書類の提出期限を守る
●会議や打ち合わせの時間を厳守する
●頼まれた書類作成の期限を厳守する
●友人との待ち合わせの時間を厳守する
●今度飲みに行こう、と気軽に言った約束を守る
●営業目標などの数値目標を必ず達成する
●子供と遊ぶ、と決めた約束を守る
●友人へ本やCDを貸すよ、といった約束を守る

このような些細な約束を、一所懸命に守っている人は間違いなく誰からも信頼されるようになる。そして、**些細な約束を反故にしている人の周囲からはいつの間にか人がいなくなる。**

一つひとつが些細なことのため、約束を破った本人には問題を起こした、という自覚はない。しかし、人づきあいの破たんは確実にやってくる。そういうものだ。

映画やドラマによくあるシーンの一つにこんなものがある。仕事に追われ深夜残業、休日出勤ばかりの父親がいる。結婚記念日、子供の誕生日、気軽に約束した父親はしかし当日、家に帰れない。じっと待つ奥さんと子供たち。そしてある日奥さんは離婚届をつきつける。驚く夫。彼に自覚はない。**「なぜ、突然に……」**。しかし突然と思っているのは本人だけだ。奥さんはずーっと何年も何年も裏切られ続けてきたのだ。

会社でも同じことがある。部下が退職したいと辞表を持ってくる時、上司はいつだってこう思う。**「なぜ、そんなに突然に……」**。気づいていないのは上司たる自分だけだ。

33歳からの僕たちは複雑にからみあった人間関係の真っ只中にいる。そしてそこから逃れて生きることはできない。小さな約束を守る。簡単そうで難しいそこから逃げないことが人間づきあいの一番大切なことではないか、と思う。

33歳からのルール
53

相手のために、は独りよがり

20代の僕は本当に自分勝手だった。感謝の気持ちがなかった。しかし悲しいかなその自覚はなかった。なぜならば僕は「相手のために」してあげている、と思い込んでいたからだ。

例えば会議の場で自説を延々とプレゼンする。これは自分勝手ではなく「相手のため」だと思っていた。自分の企画が最も優れている。そう思っていたからメンバーたちへ**「教えてあげてやる」**くらいの勢いだったのだ。今から思えば恥ずかしい。かなり迷惑な人間だったに違いない。例えば、友人の悩み相談に対して紋切り型でそれを否定する。「それはお前がおかしいよ。こうすべきだろう」。友人は不機嫌になっていく。きっと腹が立ったのだろう。お前に何がわかるんだ? そう思われていたことだろう。しかし僕は鈍感にも気づかなかった。**「お前のために言ってやっている」**。完全に「相手のため」だと思い込んでいたのだ。

だから、33歳からの僕たちは気をつけよう。20代の頃の最低だった僕のようになってしまわないために。

「相手のため」と思っている時、僕たちは大概間違っている。**「相手のため」という言葉は都合のいい言い訳**だからだ。自分に都合のいいように解釈し勝手にふるまうための自分に対する**「免罪符」**でしかないからだ。

人は誰も間違ったことをしたい、とは思わない。周囲から見て迷惑な人も、嫌われる人でもみんな**自分は正しいことをしている、**と思っているものだ。だから余計にたちが悪い。同じ過ちを繰り返し、周囲に迷惑をかけ続けるからだ。

だから「相手のために」をやめて、**「相手の立場に立つ」**努力をしよう。こんなことを言ったら相手はどう思うだろうか?と。ポイントは「相手は」どう思うか?だ。**「自分だったら」どう思うか?ではない**のだ。「オレだったら嬉しいけどな」という言葉や行動を嫌悪し怒りを感じる人もいる。傷つけられたと思う人もいる。十人十色。人の感じ方は様々なのだ。

「相手のため」はドラえもんに出てくる**ジャイアン**だ。剛田武リサイタルで殺人的に音痴な唄をのび太に押し付ける独りよがりだ。それくらいに思って戒めるくらいがちょうどいい。

「相手はどう思うだろう?」。33歳からの僕たちに必要なのはそう考えるイマジネーション力だ。決してジャイアンになってはいけない。

33歳からのルール
54

話すよりも「聴く」

講演や執筆が主な仕事である僕はよく「話しがうまい」と誉められる。その時に僕が感じるのは「自分はまだまだ修行が足りないな」ということだ。**「話し上手」は青二才**だ。本当に成熟した**大人の人間は「聞き上手」**なものだ。自分の意見よりも相手の気持ちを大切にする。まさに利他の心をそのまま行動に移している人こそが本当の優しい大人なのだと思う。

しかし、「聞く」ことは難しい。「聴く」ことはそれに輪をかけて難しい。なにしろ「耳」だけでなく**「目」と「心」で「聴く」**のである。これこそが真の優しさ、思いやりであろう。

では「聴く」とはどういうことか？　我がフェイス総研の看板商品である「フェイス～信頼の自然法則」テキストから引用してみたい。**「聞く」と「聴く」**の違いはこうだ。

●「自分のペース」：「相手のペース」　●「自分の体験に当てはめる」：「前提を置かずに聴く」　●「評価する」：「評価しない」　●「間違いを正そうとする」：「100％受け容

れる」●「自分のために質問する」：「相手のために質問する」

さて、あなたは日頃どちらの姿勢で「きいて」いるだろうか？　おそらくほとんどの人が「聴く」ことができていないのではないか、と思うのだ。

ある本でアメリカの学者のコメントを読んでなるほどな、と感心したことがあった。それは「私たちは学校教育で『話す』教育はたくさん受けるが『聴く』ことを学ぶことは一度もない」というものだ。確かにその通りだ。それは学校だけではない。企業に入社してからも、「プレゼンテーション」の訓練は受けても「ヒアリング」の訓練を受けることはまずないからだ。しかし、ビジネスの基本である「人づきあい」において、どちらの方が重要であるかははっきりとしている。**話すことよりも聴くことの方がはるかに重要**だ。そして重要だからこそ、そこには忍耐が求められる。相手を許す寛容さが求められる。相手を包みこむ器の大きさが求められるのだ。

33歳からの僕たちは重要な顧客を担当し、リーダーとしてメンバーを持つようになっている。そして結婚し家族を持つ人も多いことだろう。そんな僕たちが彼らと円満な人づきあいをしていくためには、話すよりも「聴く」ことが何よりも大切だ。辛抱強く、愛情を持って。話すことよりも「聴く」ことこそが、相手へ対する何よりのプレゼントなのだから。

33歳からのルール

55 パワーバランス

僕が29歳の頃。リクルート社で就職情報誌の編集記者をやっていた時のことだ。職場のストレスを記事にするためにメンタルヘルスのカウンセラーに取材をした。そこで教えてもらった**「パワーバランス」**という考え方が頭に焼きついて離れない。僕はそれを組織に当てはめて、組織人事コンサルティングに活用することにした。40歳を過ぎた今でも講演の中でこの考えに触れると、聴講者の方の反響がびっくりするくらいに大きい。職場の問題の原因を見つけ驚く方が多いのだ。「目から鱗」という言葉がアンケート用紙に必ず書かれる。

人と人との関係におけるパワーの総量は一定である。これがパワーバランスの考え方の基本だ。つまり、誰かの力が強ければ、必然的に残りの人のパワーが減ってしまう。絶対ではなく**相対的にパワーが決まる、**という考え方だ。例えば「引きこもり気味」のお子さんがいる家庭があったとしよう。多くの人は本人である「子供」にその原因を求め、「子供」を変えようとする。しかし、その心理学の一派の先生は「家庭」という場全体にフォーカスし、親と子の間のパワーバランスに着目するのだ。

この考え方に基づけば「子供の引きこもり」の原因は多くの場合「親」にある。「厳格な父親」「ガミガミうるさい教育ママ」など親のパワーが大きすぎるために「子供」のパワーが小さくなる。解決方法は「子供」のパワーを大きくすること、ではない。「親」のパワーを小さくすることが先だろう、という考え方だ。

これを組織に当てはめるとするならば、**部下が育たないのは上司のせい、**ということになる。変わるべきは上司の方である、という考え方だ。このどんでん返しの結末を聞いて聴講者は一様に驚いてしまう。そして大きくうなずくのだ。確かにその通りである、と。

33歳からの僕たちは気づかないうちに大きなパワーを持っている。自分では「子供」の立場にいると思っていたが、気がつけば「親」の立場にいる自分に気づく人も多いのではなかろうか。であるならば、自分のパワーを減らすことも考えよう。それこそが33歳からの僕たちにとって最も重要な人づきあいのコツであるのかもしれない。

33歳からのルール

56

相手を変えようとするな

初めて役員になったのが33歳、社長になったのが38歳だ。それ以来、チームを動かし人を育てる難しさを実感する毎日である。その中でつくづく思い知らされたのが**「人が人を変えることはできない」**という真実である。

30代の僕は、経営トップとして部下に当たる社員たちを変えようと悪戦苦闘し、ことごとく失敗してきた。彼らのために良かれ、と思い、コンサルティングのスキルを教えてきた。彼らに人として成長して欲しいと心から願い、ものごとの考え方を改めるよう叱ってきた。

今考えても、あの頃の指導は間違っていないと思う。しかし、彼らはかたくなに変わることを拒絶した。簡単なことだ。僕が**相手を変えようとする姿勢が見えたから拒絶した**のだ。

人は自分を守る。変わることを恐れる。ましてや他人に変えられる、なんてまっぴらだ。だから拒絶する。変えようとする力が大きければ大きいほど、より大きな力で拒絶する。

難しいのは、彼らが拒絶していることを表に出さないことだ。いわゆる面従腹背《めんじゅうふくはい》。僕に指導を受け叱られた彼らは「はい、わかりました」と言う。しかし彼らは納得していない。「そんなことを言っても現場は違うんだ」。彼らなりの理屈で自分を正当化する。自分が間違っていた、と思うのは辛く苦しいからだ。**自分を変えるより、上司が間違っている、と思う方が簡単だし気持ちいい。**そして面従腹背をする。しかし上司はそれに気づかない。こうして組織に溝ができていく。表と裏の二重文化ができていく。何かがおかしい。そして僕は気づいた。原因は僕だったのだ。僕が変われば彼らも変わる。初めてそう気づいたのだ。

33歳からの僕たちは、人へ影響を与えることが主な仕事になってくる。重要顧客を担当する。チームのメンバーを統率する。人へ良い影響を与え一定の方向に導くのが主たる仕事となってくる。そうすると僕たちは相手を変えようとしてしまう。そして失敗する。そうではなく、**相手が「変わりたい」と思うように自分が変わること。**そして相手が変わるのを辛抱強く待つことが大切だ。というよりはそれより他にできることはないと思ったほうがいい。

相手を変えるのではなく、変わりたい、と思わせること。そのために何ができるかを頭に汗をかきながら考える。それが僕たちの仕事であり、人づきあいのルールなのだ。

33歳からのルール

57

被害者のふりを演じるな

人は皆、被害者のふりをする。コンサルタントとして3万人を超える人たちと接した実感だ。メンバーはリーダーに専制支配される被害者を演じる。リーダーは横暴な経営者に振り回されている被害者を演じる。経営者は無能で自分勝手な部下たちにひどい目にあわされている被害者のふりをする。全員に共通するのは**「悪いのはあいつだ。オレじゃない」**という点である。そりゃそうだ。そう思わないとやってられない。自分が間違っていた、としたならば、辛くなるじゃないか。だからみんなスケープゴートをつくってそれを悪者にする。

しかし、本当のリーダーだけは知っている。**「悪いのはあいつじゃない。すべての責任はオレにある」**ということを。そしてそれに気づいた人だけが成長していく。そして幸福な人生をつかんでいく。自分自身を変えていくのは辛いことだ。誰のせいにもしない考え方は、人生を修行に変えてしまう。だからこそ、それを乗り越えた人だけが幸せをつかむのだと思う。

だから33歳からの僕たちは、被害者のふりをすることをもうやめようじゃないか。何があっても人のせいにしない。起きたことのすべては自分が蒔いた種。いさぎよくそう受け止める生き方をしよう。**かわいそうな自分を演じるのをやめよう**じゃないか。

コンサルティングの顧問先でいつも愚痴をこぼしている管理部長がいた。営業部長が横暴だ。トップが現場を見ていない。次から次へと批判がこぼれる。そして最後はお決まりの被害者のふりだ。「後始末を押し付けられるのはいつも私です。私が我慢すればいいんです」。

わが社のコンサルタントたちも最初は管理部長に同情的だった。しかし毎回毎回愚痴を聞かされ、その割に自分から組織を変えようとすることのない部長に対して、彼らも「おかしいのは、実は管理部長なのではなかろうか？」と気づき始めたと言う。

結局、彼はその会社を辞めていった。我々コンサルタントと共に経営トップや営業部長が自分に矢印を向け変わろうと努力し始めたのに対して、彼一人だけが変わらなかったからだ。自分一人被害者を演じ、他人に矢印を向け続けた彼は、やがて全員からそっぽを向かれてしまった。そして彼の居場所がなくなった。そういう結末だった。きっと彼は次の会社でも同じことをするのだろう。そして一生を不幸なまま過ごすに違いない。33歳からの君の未来図がそうなってしまわないように。被害者のふりをしてしまうと本当の被害者になるのだから。

33歳からのルール
58

プチ自慢、禁止

我が社の営業マンが新規受注をあげてきた。おめでとう、よくやったね、と誉める私に彼はこう言った。「いやぁ本当に大変でした。自分で言うのもなんですが、**僕じゃなかったら落とせなかったでしょうね。**あの社長にはずいぶんとかわいがってもらったんです」と。

私は笑いながら言った。そうかそうか。そりゃあすごいな。おめでとう、と。隣でそれを聞いていた営業部長が私に目配せをした。私は無言でうなずいた。後は部長に任せるよ、と。

おそらくその後、部長は上手に彼へ教えてあげたことだろう。「受注は本当に見事だ、お手柄だ。でもあの**プチ自慢**だけはちょっと余計だったな」「**プチ自慢**がお前自身の価値を下げ、男を下げているんだぞ。もったいないじゃないか。損をするのはお前だぞ」と。

どんなにさり気なさを装うが、**自慢は聞いている相手を嫌な思いにさせる。**自慢という会話に相手を思いやる気持ちはない。「自分が、自分が」の利己しかない。己のすごさを相手に認めさせ、誉めてもらい、さらに自分だけ気持ち良くなろうとすることが目的だからだ。

だから人づきあいにおいてプチ**自慢禁止**、を徹底しよう。自分を戒めるのだ。

しかし、仕事上、どうしても「自慢風」なことをしなければならないこともある。つまりは**成功事例の共有**。例えば先に挙げた難攻不落顧客を落とした営業マンの成功事例などは、組織としてそのプロセスを共有する必要がある。そこに隠れた営業マンのノウハウや知恵を一人占めするのではなく組織全員に分け与えることが必要だからだ。

そしてややこしいのは、これは**「プチ自慢」ではない、**ということだ。これは仲間へ対する思いやりである。そこが勘違いされないようにすることが大切だ。

情報共有とプチ自慢の差は小さい。ちょっとした言葉遣いの選び方一つでそれが情報共有にもなればプチ自慢にもなる。そしてその言葉選びの背後には本人の思いがある。それが仲間を思う思いやりだったら情報共有となり、自分が自分が、という利己だったならプチ自慢となって相手へ伝わる。本人の心次第でそれが相手へ伝わってしまうのだ。

利他と利己。今自分の気持ちはどっちに振れているか？　33歳からの大人の僕たちは心のメーターを常に自分でチェックしながら会話をしよう。それが人づきあいのマナーなのだ。

33歳からのルール

59

腹を見せよう

以前柴犬を飼っていた。ケン太という名である。残念ながら18歳で大往生した。人間で言えば軽く100歳を超えていた。そんな彼に学んだことがある。それを紹介してみたい。

ケン太は飼い主である僕が大好きだった。だから仕事から帰って玄関のドアを開けた途端にちぎれんばかりにしっぽを振って僕に飛びついてきてくれた。そんな彼を抱きしめる僕。大喜びで僕の顔を舐めまわすケン太。10秒ばかりの間、彼と僕とのスキンシップが交わされる。するとケン太はその後必ず一定の行動を取ったのだ。**腹を見せる。**つまりゴロンと仰向けに寝転び、**無防備なお腹をさらけ出し僕になでさせる**のだ。

犬という動物は極めて警戒心が強い生き物である。そのため、足先やしっぽなどを信頼していない相手には絶対に触らせない。ましてや腹などをさらすことはない。心臓や内臓が詰まり動脈が波打つ急所中の急所を通常はかたくなに守り触らせることはしないのだ。

しかし、逆に相手を信頼するとそれをさらけ出す。「僕の最も大切な急所をあなたにさらけ出しますよ。あなたは僕を攻撃しないと信頼しています。だからあなたにすべて預けるのです」。そう言ってお腹をさらけ出すのだ。

信頼して欲しくば、まずは自分が相手を信頼せよ。その順番を守り、ケン太から先に僕に信頼を示してくれていたのである。僕は彼からそれを学んだ。まずは自分から弱みをさらけ出す。これは人間同士の人づきあいにも通ずることではないかと僕は思うのだ。

自己開示の返報性という言葉がある。自己開示とは自分をさらけ出す、という意味だ。そして人は自己開示してくれた人に恩義を感じる。自分の弱さや恥ずかしいところを人にさらけ出してくれた人に良い印象を持ち、何かお返しをしたい、と思うのだ。そしてそこに信頼関係が生まれる。本当の濃い関係が生まれるのだ。

33歳からの僕たちはケン太に学ぼう。そして自分から腹を見せよう。相手が見せてくれるまで待つ、なんてせこいことを考えるのはやめよう。それが度量だ。ただしタイミングと見せすぎには要注意だ。いきなり初対面で重たい過去を話されてはかなわない。そして見たくもない全裸の心を話されても、受け止める方が逆に迷惑だ。だから頃合いを見計らおう。そして相手に委ねすぎず適度に自分をさらけ出そう。礼節をわきまえながら。

33歳からのルール
60

「借り」をつくるのも度量

「絶対に借りをつくるな、と父親に厳しく教育されました。だから人に頼らないようにしてきたんです。これまでもずっと一人で生きてきた」。淋しそうに川上さんが言った。我がフェイス総研の商品であるリーダーシップ開発研修を自社社員に受講してもらう社内受講制度でのひとこまである。コンサルタントとしては優秀だがチームプレーが苦手な川上さんは、能面のような表情で黙々と仕事をこなす。そのこだわりは素晴らしいが、どうしても人へ冷たい印象を与えてしまう。それでは相手の心は動かない。このままでは書類づくり屋以上のコンサルタントにはなれない。変わるきっかけをつかまなければならない。その原因を探っていた時のことである。どうやらその答えは彼の幼少期にあったようだ。

「**人に借りをつくらない人生**を歩んできて、川上さんは今どう感じているの？　父親の言いつけを守ってみて自分ではどう思っているの？」と僕が聞いた。しばらく考え込んだ後、川上さんは言葉をひねり出した。「うーん。淋しかったですね。誰とも深い関係にになれない。ならないように避けてきた。だから楽といえば楽でした。でもどこかで淋しい、という気持ちはあったでしょうね。独りぼっち、のような気持ち。でも仕方ないと思っていました」。

しーんと静まり返る研修会場。川上さんの瞳に涙がたまってきた。辛かっただろうな。僕が一言声をかけるとそれが一斉にあふれてきた。30過ぎた男の真剣な涙である。

「人に借りをつくらない人生」それは立派な生き方である。しかし、きっと彼のご尊父は「借りをつくるな」と言ったのではなかったのじゃないか、と僕は思う。おそらく彼が言いたかったことは**「借りをつくってもいいが、必ずお返ししろよ」**ということではなかったのか。「御恩返しをしっかりしなさい」と言いたかったのだ、と思う。だってそうではないか。困った時はお互い様。助け、助けられるからこそ人間は素晴らしい。それを拒絶し、助けてもらうことを拒めば人に与えることもできなくなっていく。希薄な人間関係しか残らなくなってしまうからだ。

「借り」をつくるのも度量だ。と僕は思う。つまりそれは**「御恩返し」を決意すること**だ。

33歳からの僕たちはどんどん「借り」を作ろう。そして残らず「借り」を返そう。その先には素敵な人づきあいがたくさん待っていることだろう。孤独になることは決してない。

第7章

33歳からの「家族」のルール

33歳からのルール
61

奥さんを包みこめ

30代の僕たちはまだまだ共働きという人も多いだろう。そして第一子が生まれ、奥さんが専業主婦になったばかり、という人も多いかもしれない。どちらにせよ、気をつけなければならないのは、**「夫婦は対等ではない」**ということだ。

同じ年だろうが、奥さんの方が年上だろうが、男女雇用機会均等法があろうが、そんなのは関係ない。**あくまでも奥さんは弱い。男の僕たちが守らなくてはならない存在だ。**男が女を包みこまなくてはならないのだ。

「ちょっと待ってくれ！　うちのかみさんはそんなに弱くない。むしろ弱い立場は僕の方だ」と君は言うかもしれない。白状しよう。僕のかみさんもとっても強い。仕事だってバリバリこなすし、家でもたいていのことの決定権を持っている。しかし、それでも根本的なところで女性は弱い存在だ。だから男が守らなくてはならない。**そういう風に考えた方がうまくい**

くのだ。

だから、**男は奥さんとケンカをしてはならない。**同じ土俵で戦うのはルール違反だ。いかに奥さんがおかしなことを言ったとしても、いかに奥さんが失礼な態度を取ったとしても、**大きな優しい瞳でそれを見つめ、笑って許してあげなければならない**のだ。わがままでお転婆なじゃじゃ馬娘を見守る父親の目線で。それが夫婦円満の秘訣だと思う。

僕の奥さんは結婚後5年間1度も僕に謝ったことがない。明らかに奥さんに非があるような場面でも、絶対に誤りを認めなかった。そんな時僕はイラっとする。ありえないだろう、と怒鳴りそうになる。しかし、落ち着いて2人の関係を見つめ直す。僕は奥さんを守る立場だ。奥さんは強そうに見えて本当はもろいのだ。そう考えたら、強い奥さんがかわいく見えてくる。愛しく見えてくるのだ。

「誤りを認めなかった」と過去形で書いたのはワケがある。最近の奥さんは僕に「ごめんなさい」と言えるようになったのだ。それもこれも、この5年間僕が彼女を包みこもうと努力してきたからだと思う。同じ目線でケンカをしていたならこうはならなかっただろう。人は自分を大切にしてくれる人を大切にしたい、と思う動物だ。

33歳からの君はもう大人だ。奥さんに対しても、もう少し寛容になってはどうだろうか。

33歳からのルール
62
奥さんの問題を解決するな

例えば、君の奥さんが朝から不機嫌だったとしよう。こっちは昨夜遅く帰ってきたので寝不足だ。そんな朝から不機嫌な奥さんの相手をするのはうんざりだ。しかし、奥さんは話しかけてくる。怒りを含んだ口調で、こんなことを言ってくるだろう。

「隣の佐藤さんったらひどいのよ。今日はゴミの日じゃないのに、堂々と不燃ゴミを捨てているの。周りが迷惑ったらないわよね。清掃員の人も注意してくれなくちゃ困るわよ。みんなが迷惑しているのに気づかないのかしら。本当に頭にくるわ」と。

33歳を過ぎ、職場でも若手ＯＬの悩みを解決してきた君は、**彼女の悩みを解決しようと試みることだろう。**かつての僕もこうしていた。問題は放置しておいてはいけない。根本原因突き詰めて、早めに解決する。それが鉄則だ。

じゃあ佐藤さんに差し障りのない言い方でオレが注意してこようかと言うと奥さんが訂正

する。「佐藤さん、だとは言い切れないの。けれどもビニールの種類が佐藤さんと同じだし、透けて見える中身がガーデニングの用品なの。佐藤さんのところ、ガーデニングよくやっているでしょう?」と。君はだんだんとイライラしてくる。確証はない、だと? にもかかわらず佐藤さんが原因だ、とよくも言えたものだ。まったく女って奴は論理的じゃない。だったら対応は変わるじゃないか。**君は我慢しながらも奥さんの問題を解決しようと努力を続ける。**

「じゃあ、区の清掃局へ電話しようか。苦情を言っておいてやろう」。すると奥さんはまた否定する。「そんなことをしてうちが睨まれちゃったら損でしょ。わざわざ電話するほどじゃないわ」。君のイライラはピークに達する。「だったら、どうしろというんだ! せっかく問題を解決してあげようとしているんだ。人の親切を一体どういうつもりなんだ!」と。

奥さんは一言こう言った。「そんなことじゃないの。ただ聞いて欲しかっただけなのよ」と。

男の脳は問題解決を指向する。女の脳は共感性を指向する。つまり問題解決は望んでいない。「佐藤さんってひどいわよねぇ」と共に共感してくれることを望むのだ。だから僕たちは**奥さんの問題を解決しようとしてはならない。とにかく共感することが先決だ。**

「大変だったねぇ。それはひどいよねぇ」と。これもまた夫婦円満のコツの一つだ。知っておいた方がいい。

33歳からのルール

63

不機嫌な奥さんを放っておけ

33歳からの僕たちは、たくさんの責任を背負う。仕事の成果、部下の人生、そして家族の人生を。中でも奥さんはもっとも身近な存在だ。ところがこの奥さんという生き物は定期的に機嫌が悪くなる。しかも原因不明も多いからやっかいだ。そんな時に僕たちはそれを自分の責任であるかのように背負いこむ。奥さんを機嫌よくさせられない自分の無力さを恨み、落ち込むのだ。

そしてよせばいいのに、その無力さをはらすために奥さんの機嫌をよくしようと努力する。例えば、普段はやりもしないお茶を淹れ「どうだ、飲むか?」なんて気を遣う。そんな時に限って奥さんは「いらない」とぶっきらぼうに答えたりする。せっかく淹れてやったのに、いらない、とはひどい奴だ。君は奥さんに対してさらにイライラを増す。やがて君はそれが我慢ならずにまたもやなんとかしようとちょっかいを出す。「何か気に入らないことでもあったのか？」。問題を明らかにしてそれを解決しようとするのだ。しかしそれも徒労に終わる。「別に」。そっけない一言ですべては一蹴される。君はますますイライラする。そして切れる。これですべては台無しである。夫婦は全面戦争。奥さんだけでなく君も大いに不機嫌になり、2人の仲に亀裂が入る。そして互いに相手のせい、だと決めつける。みごとな最悪パターンだ。

では、どうすれば良かったのか？　答えは簡単だ。**放っておくことだ。**

奥さんには奥さんなりの**「不機嫌になる権利」**がある。**怒りたい時には怒る権利**が、**泣きたい時には泣く権利**がある。それを君が**邪魔してはいけない。**常に奥さんと一心同体になろうとしてはいけない。奥さんが不機嫌になることとイコール、君の問題ではないのだ。放っておいてあげること、一人にさせておいてあげることも必要だ。それを勝手に自分と一体化させて君まで不機嫌になる必要はない。**夫婦の間にも一定の距離が必要なのだ。**

心理学ではこれを**境界線**と呼ぶ。どんなに深い2人の中にもある程度の境界線は必要だ。それは大人の礼儀かもしれない。33歳を過ぎて大人の仲間入りをした僕たちは、境界線を引くことも覚えなくてはならない。それが関係を長続きさせる秘訣なのだ。

僕は機嫌が悪い時の奥さんを放っておく。でもそれは冷たいのではない。奥さんが大切だからそうするだけのことだ。君もそろそろ放っておいてあげる優しさを覚えてはどうだろうか。

33歳からのルール
64

結婚という約束を守れ

30代の君は**「結婚が約束である」**という意識を持っているだろうか？　結婚とは**夫婦が生涯何があっても添い遂げる、と約束することである。**約束の相手はキリストだったり、仏様だったり、周囲の家族、友人だったりする。君は結婚式という儀式の中、公衆の面前でそれを誓ったのだ。だから別れてはいけない。それは本来君の選択肢の中にないのだ。

かつての僕はそれに気づかずに、結婚生活を悲観しそして離婚をした。これ以上一緒にいても互いのためにならない。その確信から離婚を決意した。32歳の時のことである。

その当時の僕の考え方は、こうだった。「夫婦は互いに対等である。両者が共にいたいと願い、努力を続ける限りは幸せな結婚生活を送れるだろう。しかし、どちらか一方が苦痛を感じ、これ以上生活を続けたくないと感じたならば一緒にいることは罪なことである。過去に縛られるのは生産的ではない」。しごく合理的な筋の通った考え方だと、今から考えても思う。

しかし、この考え方には致命的に重要な一つの前提が抜けていた。つまり、**結婚とは約束である、**という考え方だ。当時の僕にとっては、誓いの言葉はいわば形式。結婚式のためのセリフにすぎなかった。本心からの約束ではなかったのである。だから、別れる、という選択肢を手にした。原則を持っていなかったのである。

しかし、今の僕は違う。「うまくいかなかったら別れよう」ではなく「何があっても別れない。別れずに済ませる方法を探す」という考えに変わったのだ。だから、何があっても離婚はしない。問題があれば一生かけて一つ一つ解決していこう。考え方の順番をそう固定したのだ。そう決めてからの僕は迷いがなくなった。奥さんとの間に何があっても笑って許せるようになった。だって答えは決まっているのだから。悩んだり考え込むこと自体が無意味じゃないか。

この考え方は仕事にも当てはまる。僕はフェイス総研という会社を会長と株を持ち合い共同経営している。多くの友人知人はそんな経営うまくいくはずがないと断じ、どちらか一方がトップになるよう、ありがたい助言を寄せてくれた。しかし彼らは知らない。僕と会長の間で交わした約束を。2人は一緒にやる、ということを約束したのだ。うまくいかないことがあろうがなかろうが関係ない。先に一緒にいることを固定しているのだ。約束とはそういうものだ。33歳を過ぎた僕たちは約束の重みを胸に刻んで生きていきたいと思う。

33歳からのルール
65

亭主関白であれ

「亭主関白」～家庭内で夫が妻に対して支配者のごとく威張っていること～とある。

しかし、もともと**「関白」**とは成人した天皇の政務にあずかり、意見を具申する重責の役割を指す。ただ何もせず威張り散らしている人のことではないのである。

であるならば、**「亭主関白」でいこう。**重大な政務にあずかり大所高所に立ってものごとの優先順位を決めていく。家庭においても**「関白」**の役割を亭主はするべきだ。

当社では半期に何度か会社での飲み会がある。すると決まって数人の30代既婚者が、こう話して飲み会を辞退する。

「かみさんに叱られるので今日は帰ります」

それが果たして大所高所に立った判断なのか？　もしも局所低所での内向きな判断ならば、きっぱりとこう言うべきであろう。

「大切な飲み会があるんだ。今日は出席するよ」。お願いではなく決定事項で伝えるべき。ご機嫌をうかがっている場合ではないのだ。

たかが飲み会、されど飲み会。責任ある立場であるほど、その場へ参加することは大切だ。情けは人のためならず。**他者を大切にした情けは必ず自分や家族に還ってくる。**これこそが大所高所に立った関白の判断だ。亭主は是非堂々とかみさんに伝えるべきだ。お前たちのためにも飲み会に出てくるぞよ、と。

「そうはいっても現実は無理ですよ」と言う人がいる。「かみさんに大変な雷を落とされてしまう」というのだ。なぜそうなってしまうのか？　理由は簡単だ。**あなたが日頃かみさんを大切にしていないから**だ。積もりつもったツケがそこに出ているだけのことである。

君が日頃からかみさんに感謝を伝え、わずかな家族との時間を大切にしていたならば、決してかみさんは君が飲み会に出ることをとやかくは言わないはずだ。

問題の原因は飲み会にあるのではない。日頃の君の自分勝手な行動にあるのだ。

わずかな時間と予算をやりくりし、奥さんを子供たちを大切にする。その判断こそが大所高所に立った関白の視点である。そして、大切な職場の飲み会には毅然と決定事項で出席を伝える。これこそが正しい亭主関白の姿であるのだ。

33歳からのルール
66
イキイキとしたパパになれ

20代の僕は家庭で過ごす時間を大事にする優しい旦那さんだった。30代の僕は家庭を顧みず仕事に没頭するダメな旦那に変わってしまった。いや、果たしてそうだったのか？　毎晩早く家に帰り休日を自宅で過ごしていた僕が良い旦那であり、毎晩午前様、休日返上で働いていた僕がダメな旦那だったとは決して思えない。むしろ逆ではないか。

20代の僕は中途半端なフツーのサラリーマンだった。しかし30代になり僕は本当の天職に出会う。コンサルタントという今の職業だ。そして僕は寝食を忘れ仕事に没頭した。こんなにすばらしい仕事があったのか。毎日が充実し、生きる喜びを実感していた。きっとその時の僕はキラキラと光っていたと思う。

良い旦那とは、奥さんを、子供たちを最大限に幸せにしてあげる男のことだと思う。

家族を幸せにする男とは、家にいる時に**カッコイイ自慢したくなるようなお父さん**なのではないか。そこそこの仕事をし、そこそこの生活水準を保ち、そこそこの家族サービスをする、そこそこの男のことではないと思う。

一人の男として生まれてきたその才能と志をフル稼働して自分を最大限に輝かせることが家族にとっても大切なはずだ。しかし、その生の喜びを自分一人の自己満足だけに投じてはならない。**黙って支えてくれている家族へお返しすることだ。**自由にさせてもらっていることに感謝し、最も貴重な資源である「時間」を家族のために捧げるべきだと思う。物理的にはわずかな時間かもしれないが、最高の濃い時間を家族へプレゼントしてあげるのだ。

幸いなことに僕は今、ある程度時間を自由に過ごすことができる。いつ休み、いつ働くかを自分の裁量で決めることができる。決して9時から5時の生活ではない。しかし土日に働いた分、堂々と平日に休むことだってできる。人より余計に働く分、人並みよりも少しだけおいしい食事へ家族を連れて行くこともできる。そういう働き方を僕は手に入れた。それもこれも30代の仕事への猛烈な自己投資のお陰なのだ。

9時から5時の**そこそこの仕事をしていた20代の僕がいい旦那か。猛烈に働き、いつでも好きな時に休暇を取りイキイキとした姿を家族へ見せる今の僕がいい旦那か。**答えは言わずもがなではないか、と僕は思うのだ。

33歳からのルール

67

子供が思い通りになると思うな

我がフェイス総研の教育研修コンセプトの一つに**「人を変えることはできない。しかし、変わろうとする人を助けることはできる」「人の感情を変えようとすれば人間関係が壊れる」**というものがある。まさにその通りだと思う。

そしてこれは、家族にも当てはまり、一人前に満たない小さな子供にも当てはまるのだ。まさに**「人を変えることはできない」**のである。しかし、33歳を超えた血気盛んな僕たちは、子供を思いのままに変えようとしてしまう。それを「子育て」や「しつけ」と称して思い通りの人間をつくろうとする。そして失敗する。

33歳からの君が子供を思う気持ちは間違いなく本物だろう。だからといって**子供を思い通りに変えようとするのは間違いだ。**いくら君のDNAが刻まれた正真正銘の子供だとしても、相手が判断力のない小さな子供だとしても、**生まれてきた命は既に一つの人格だ。**それを操ろうとしてはならない。所詮不可能なことなのだ。

ではどうすればいいのか？　その法則は、大人に接する場合とまったく同じだ。**相手を変えるのではなく、まずは自分が変わること。**もしも子供に問題があったとしたら、その原因は子供ではなく親であるあなたにある。子供が引きこもってしまったとしたら、それは親が強すぎること、口うるさすぎることが原因だ。子供が非行に走ってしまったとしたら、それは「自分を見て」「叱って」と求める子供のアピールだ。つまりは、親の愛情が不足していたことが原因となる。**子の問題のほとんどは親が原因なのである。**

そんな時は、子供を無理に変えようとするのではなく辛抱強く子供との信頼関係を回復しよう。

子供から友達のように信頼され、相談される相手になることだ。その上で、人生の先輩として子供に助言すべきだ。叱ったり強制したりしてはいけない。その時点で子供は君を拒絶するだろう。そうではなく**受け容れてもらうだけの関係を築くこと**が大切だ。一度壊れてしまった関係を修復するのには、それが壊れたプロセス以上の時間がかかる。1年かけて壊れたのなら修復には1年以上かかるだろう。それくらいの気持ちで臨まなければならないのだ。

人と人との信頼関係の法則に例外はない。そこから逃れることはできないのだ。

33歳からのルール

68

長くいればいいというものではない

先日、自社社員を対象に管理職研修を実施した。お客様へ販売している商品は最高の商品だ。だからこそ、自社でも存分に活用する。当たり前の話だ。そして最高の研修は最高の成果を生む。我が社の管理職たちの目の色が変わり、仕事の質が劇的に向上し始めたのだ。

その中の一人、32歳のコンサルタントは、家族と仕事の狭間で悩んでいた。

「独身の頃のように思いっきり仕事に没頭したい。しかし、自分には妻と娘がいる。家族は家に帰らない僕に不満を持っている。**家族を大事にしたい。しかし、それでは仕事が中途半端になる。1日は24時間しかない。どちらを削ればいいのか……」**と。

頭を抱える彼。そこで僕は彼に、参考にして欲しい、と自分の体験を話すことにした。

僕の奥さんは責任ある忙しい仕事を持っている。そして毎晩夜中の2時か3時に帰ってくる。ほとんどが午前様。24時前に帰ってくることは極めて稀だ。

一方、僕はたいがい22時頃には帰ってくる。その代わり僕の朝は早い。5時には目覚め、自宅の書斎で仕事を始める。それから風呂に入り身支度を整え朝食を取ってから早朝会議へと出かける。週に2～3回ある会議の多くは早朝7時頃から始まることが多い。一方で奥さんは10時出社だ。まさにすれ違いの毎日。一緒に住んでいても顔を合わせることも少ない。

そこで僕は考えた。物理的な時間を無理に取れなくても**わずかな時間の質を高められないだろうか？**と。そしてその作戦を実行した。夜中に奥さんが帰ってきた時に起きて階段まで迎えに行く。そして一言二言言葉を交わすのだ。ハグ付きで。朝についても考えた。たまに僕も10時以降から会議があることがある。それまでの間は自宅で原稿を書いているのが常だ。そんな時は原稿の手を止めて奥さんを最寄りの駅まで車で送る。そしてそのまま早めに会社へ行くようにしたのだ。**わずか5分だがこれで一緒に話す時間ができる。**会社にも早めに着け一石二鳥になる。

そんな**小さな時間を寄せ集めただけで夫婦の仲は劇的に良くなった。**お互いを大切に思う気持ちが伝わるようになった。物理的な時間を長く過ごすことが家族のためではない。たとえわずかな時間であったとしても、そこに**心を尽くすことが大切だ。**33歳からの僕たちは量から質への転換をしなくてはならない。

33歳からのルール

69

大切な人の大切な人を大切にしろ

親戚の女性が結婚した。おめでたいことである。しかし、僕は内心その結婚に反対していた。なぜならば彼は彼女に対してひどい言動をしていたからである。いわゆるできちゃった結婚。子供のためにも幸せな家族を築きたい、と彼女は言った。だから僕はそれを応援することにした。彼女の夫となる彼は、僕と挨拶を交わした際にはとても丁寧に接してくれた。しかし、それは表面だけの偽りの姿だった。家に帰り、彼女と二人きりになると途端に態度を豹変させた。激しく裏表のある性格だった。ある意味人格が破たんしている。僕は心配した。

しかし、僕は彼女の意思を尊重した。そんな彼の悪口を一言たりとも口にすまい、と決めていた。なぜならば僕の大切な親戚にとって大切な人である。**「大切な人の大切な人」であるならば、それを大切にするのは当たり前のことだからだ。**

そもそも結婚について僕が口を出す問題ではない。もちろん、結婚に至るまでの間に考えを改めるつもりはないか?と助言はした。考えられる心配も話してみた。みすみす黙って見過ごしたわけではない。精一杯のおせっかいは焼いたつもりだ。その上で彼女は決断した。ならば彼女を応援しよう。僕は頭を切り替えた。

33歳を過ぎた僕たちの親戚関係はややこしい。下手に血縁関係があると第三者以上に面倒なことになるものだ。だからそこには気を遣いたい。親戚だからと甘えていい時もあればそうでない時もある。今回は後者だった。だから僕は彼を尊重し彼女の意思を尊重した。

しかし、**一般的には、大切な親戚の大切なパートナーをこき下ろす人は多い。それだけはやめた方がいいと思う。それは大切な親戚の人そのものをこき下ろしているに等しいからだ。**節度のある大人はそんなことはしない。大切な人が大切にしている人を大切にしてあげる。それが常識だからだ。

当然のことながら、君の奥さんの親戚の悪口を言ってはいけない。それは奥さんを傷つけるからだ。奥さんが大切にしているご両親がいれば君も彼らを大切にすることだ。それが回りまわって奥さんを大切にしていることにつながる。そして、その逆は逆の結果をもたらす。これは必ず守るべき家族のルールだ。奥さんのご両親の息子になったつもりで、親孝行を考えよう。それが家族だ。

33歳からのルール
70

正月は家族と過ごせ

20代の僕は家族と正月を過ごすことはなかった。独身の頃は彼女と2人きりで、結婚してからは奥さんと2人きりで、もしくは友人たちとどんちゃん騒ぎをして過ごした。**両親を実家に置き去りにして、自分が楽しむことに余念がなかった。**今から思うと、とても恥ずかしい。

33歳を過ぎた僕は、**正月を家族と過ごすことにした。**年老いた母親に一人で正月を迎えさせるわけにはいかない。**年寄りにとって正月とは、昔も今も変わらずに特別な日だ。**それは家族水入らずで過ごすもの。おとそを飲み、おせちを食べ、こたつに入ってテレビを見る。20代の僕たちにとって、退屈極まりないどこにでもあるごく当たり前の風景こそが彼らの幸せだ。

33歳を過ぎた僕たちは、ごく当たり前の幸せを自分でも感じられるようになることが大切だと思う。両親の楽しみのために自分の時間を犠牲にするのではない。両親が喜ぶ姿を見たい、喜ばせたい、と思うようになること。人のために尽くすことが自分の喜びになるよう脱皮することだ。君を生み、苦労しながら育て、泣き、笑い、悩んでくれたご両親のためならばそれができるだろう。いや、できるようにならなくてはならない。それが人の道だ。

そしてそんなありふれた日常の風景を楽しいと思う。幸せだと感じられる感性を持ちたい。

40歳を過ぎた頃、母親が倒れた。集中治療室で2週間意識を失ったまま生死をさまよい、そして半身不随と引き換えに意識を回復した。今はもう話したいことも言葉にできない。赤ん坊のように一言ずつひねり出すように言葉を選ぶ。やがて母は食事もチューブでしか摂ることができなくなった。もうおせちを食べることもできない。僕の正月は、母親と共に介護施設で過ごすことが常となった。そしてその4年後、ついに母は帰らぬ人となってしまった。

だから33歳からの君に言いたい。**今のうちに両親と過ごしてあげてくれ、**と。一緒におとそを飲み、おせちを食べる幸せを感じてくれ、と言いたいのだ。30代の若い頃、子供が生まれるまでの間しか自由に海外で遊べないかもしれない。今の君たちにとっては遊ぶ時間が2度とない貴重な時間なのかもしれない。しかし、**両親と過ごす正月を忘れてはいけない**。その時間こそが本当に貴重な時間なのだ。海外に行くのなら、別な季節にしよう。両親にとってお正月は特別な日なのだから。

第8章

33歳からの「衣食住」のルール

33歳からのルール
71

30代はマンションを買うな

30歳の時に、初めて不動産の物件を探した。自分で設計した一戸建てを建てようと土地を探したのだ。結果的に、これはという物件が見つからず一時断念。そんな時だった。

「小倉クンは今、不動産を買っちゃあダメでしょう」。人生の師匠から叱られた。僕は意味がわからなかった。不動産を買えば頑張る材料になる。それより何より家賃を払い続けても得るものがない賃貸住宅がムダではないか、と思ったのだ。

しかし、人生の師匠は続けた。そんな小さな了見とは違うスケールの大きなパースペクティブで。「**これから仕事が伸び盛りの人は不動産を買っちゃダメなんですよ。**なぜかというと、その物件に縛られる。**物件以上の男になれないんですね、**これが」。軽いノリの口調だが言っていることはずいぶん重い。う－ん。そんなものなのかなぁ。その時の僕はわからなかった。

だが、時が経ち様々な人生を経験した。その後の僕は何度もこの言葉を思い出すことになる。**「伸び盛りの人は不動産を買うな。物件に縛られる」**。まさにその通りの人たちをたくさん見てきたのだ。

「4千万円のマンションを30年ローンで買った。子供ももうすぐ小学校へ入学だ。後はきちんとローンを払い続けて子供が成長するのを楽しみに頑張るよ」。33歳の頃、こんな将来像を語ってくれる友達がいた。彼は以前ずいぶんとやんちゃをしていた。

そんな折、僕が10年お世話になったリクルートを退職し、ベンチャー企業の役員へ転身することとなった。そんな僕を見て、彼はこう言った。「小倉はいいよな。子供も住宅ローンもない気軽な身だ。オレはローンも娘もいる。チャレンジしたくても踏み出せない。オレはこの会社にしがみつくよ」と。僕はその時**サーカスの象の寓話**を思い出した。強大な力を持ち人を軽々持ち上げるサーカスの象。本気を出せば、杭につながれた鎖を引きちぎることなどわけもなくたやすいはずだ。しかし象はあきらめる。杭につながれ何度か逃走を試みるが失敗に終わると「もうムリだ」と決めつけあきらめてしまうのだ。それから象は、人間の子供でも引きちぎれるほどの形だけの杭につながれても抗うことをしなくなる。そういう話だ。

30代の僕たちにとって**マンションのローンは、象の杭になるかもしれない**。本当は簡単に引きちぎれるはずのその小さな杭が、君を一生ローンに縛りつけるかもしれないのだ。

33歳からのルール

72

都心に住め

26歳で結婚した僕は、当時勤めていた会社の社宅に入居した。新築85平米の3LDK。湘南のターミナル駅から徒歩3分。周囲には東急ハンズやデパートが徒歩圏内にある。当時のオフィスは新橋駅。距離は遠いがドアツードアで1時間以内。電車に乗っている時間はわずか45分。僕はラッキーだと思った。それまで東京では都心に近いところにしか住んでいなかったがその物件に飛びついた。結婚して広い物件に住むことにあこがれていたのかもしれない。

しかし、それが生活をガラリと変えるものだとは思いもしなかった。いや、生活だけではない。僕の性格をも、その引っ越しは変えてしまった。つまり**あらゆることが億劫になった。**生活と共に、知らず知らずのうちに**性格までもが保守的になってしまった**のだ

渋谷や新宿に近い距離にあった世田谷で10年近く居を構えていた僕は、同じ通勤時間なら生活も変わらないだろう、と高をくくっていた。しかし、同じ45分は、心理的にまったく異

なる距離を僕に感じさせた。猛スピードで駆け抜ける電車ならばいざ知らず、万が一終電を逃してしまい、タクシーで家へ帰ることになるとするとその金額はまったく違うものになる。世田谷のマンションまでは2500円で着く。しかし、湘南の家に帰るには軽く2万円を超えるタクシー代が必要だったのだ。これが及ぼす心理的なプレッシャーは大きい。

それに加えて、地獄のような通勤ラッシュが追い打ちをかけた。皆目を血走らせながら空席を探す。割り込む。尻をねじ込む。そりゃそうだ。45分乗り続ける電車内の時間は長い。だから戦いが起こる。それは僕をさらに疲弊させた。

やがて僕は、段々寄り道をしなくなった。友人とのつきあいも少しずつ面倒になっていった。見事に性格まで変わった僕ができあがった。引っ越しをしてものの3か月も経たない時のことだ。

その後、僕は山手線の内側ど真ん中に位置する四谷で都心のマンションライフを再開した。すると当時と逆の回転が始まった。どこに行くのも気が楽だ。買い物に行く。映画に行く。美術館に行く。**ライフスタイルがポジティブになった。**都心に住む、ということはこういうことだ。だから僕は勧めたい。**人生を拡げる30代は狭くても都心に住め、**と。きっと人生が変わるはずだ。

33歳からのルール
73

男なら書斎を持て

26歳で結婚した僕はしばらくの間自分の部屋がなかった。だから僕がくつろぐ場所はリビングかベッドルーム。そもそも家で仕事をすることなどは、ほとんどなかった。残業は会社で。そんな生活だった。しかし、33歳で初めての転職し、ベンチャー企業の役員になった夕イミングで僕は、自分の部屋が必要になった。

経営者にとって仕事と生活は不可分なものだ。つまり家で仕事をすることが避けられない。なぜならば、上司は常に部下に追いかけられるから。部下の確認や決裁依頼は24時間お構いなしに飛んでくる。「企画書をチェックして下さい。なんとか今日中にお願いします」。こんな依頼ならマシな方だ。「顧客へ提出する見積書です。すみませんが1時間以内に決裁を下さい。間に合わないんです」。なんて話が次から次へとやってくる。もしそこで僕が仕事の手を止めたとしたら、あらゆるものがストップする。だから手を止めることはできない。

しかし、止むにやまれぬ事情から手に入れた書斎だが、思わぬ副産物をもたらした。そう、**自分の時間を手に入れることができる**ようになったのだ。例えば休日に見たいサッカーの試合があったとする。しかし奥さんはサッカーなど大嫌いだ。当然のようにバラエティー番組にチャネルを合わせ、リビングで楽しそうにテレビを見ている。そんな時にチャネル争いをするのは、やぼなことだ。黙って僕は書斎へ行きテレビをつける。夫婦円満の秘訣だ。

それだけではない。久しぶりの休息時間、僕はお酒を片手に音楽をボーっと聞きながら軽い短編小説を眺めていた。その時だピンポーン！チャイムが鳴り、奥さんが友人をたくさん連れてどかどかとやってきた。そんな時も僕は慌てずに書斎へ移動する。奥さんの友人に「ごゆっくりどうぞ」と挨拶をして、自分の書斎でゆっくりと続きの時間を楽しむのだ。

子供の頃、実家では誰しも自分の部屋を持っていた。しかし結婚を機にそれを失う男は多い。経済的に自立して大人になり、僕たちは自由を手に入れることを夢見ていた。しかし現実は逆だ。**大人になるに従って自由はどんどん遠ざかる。**それでいいのだろうか？　自由を遠ざけているのは誰でもない。自分自身なのではないだろうか？　**男たるもの33歳を過ぎたら書斎を持とう。**堂々と必要性を主張しよう。そしてそれを確保するだけの十分な生活能力を手に入れよう。願望ではなく必須の行い、として。

33歳からのルール
74

睡眠へ投資せよ

現在の僕の住まいは賃貸の一戸建て、借りてから7年目になる。狭い土地の空間を縦に有効活用した俗に言うペンシルビルの4階建て。1階が車庫と玄関とトイレ。2階が書斎と風呂とトイレ。3階がリビングダイニング。4階がベッドルームになっている。

そして僕はこの7年間**「睡眠」に関して多くの投資を行った。**といっても大した金額ではないのだが。ベッドの外枠を買い替えただけでなく、吟味してスプリングコイルの数が多くしっかりとしたマットレスに買い替え、快眠型のウレタン枕に買い替え、そして羽毛布団を夏・冬用で買い替え、肌ざわりの良いコットン毛布へと買い替えた。

すべては**質の高い「睡眠」**を手に入れるため。そしてこの投資は劇的な成果を上げた。

特に費用対効果が高かったのはマットレスだ。20代の頃の僕はベッドの値段の差があまりにも大きい理由がわからなかった。やがてその理由が判明する。その差の多くは外枠ではなくマットレスの質の高さに準拠していたのだ。そして僕は一番安いものを買った。スプリングなど1本も入っていない薄いウレタンのペコペコの奴だ。睡眠の大切さ、など考えたこともない、若さに任せた20代の僕にはそれで良かったのだ。

30代に入り、「量」の観点で睡眠を満たせない日々が続いた後、僕は先の投資により**「質」で睡眠を取り返す作戦**に入る。そしてマットレスの大切さを知った。様々なタイプのマットレスがあるが、僕はスプリングコイルが入ったトラディショナルなものを選んだ。そして数百本という細かいスプリングが埋め込まれた厚いマットレスに買い替えた。

そして劇的に睡眠の質を向上させることに成功したのだ。

それだけではない。4階のベッドルームが3階のリビングから吹き抜けになっているために、テレビや来客の声などが気になりゆっくり眠れない、という事実が判明するや否や2階の書斎にも4階と同じベッドを1セット購入したのだ。これはさらに大きな成果を上げた。1日1〜3時間しか眠れない綱渡りの仕事状態が数日間続くことの多い僕にとって、集中して眠れる環境は致命的に重大だからだ。

33歳を過ぎた僕たちは「睡眠」を大切にすべきだと思う。**1日の1／4の質を高めることは3／4を快適に過ごすためにも大切**だからだ。睡眠を制する者が仕事を制するのである。

33歳からのルール

75

お気に入りのペンと時計を持て

初めてクロスのボールペンを自腹で買ったのは29歳の時だった。ゴールドとシルバーのコンビ。それに合わせて革製のペンケースも手に入れた。しめて8千円。**わずかな額で僕は仕事にプライドを持てるようになった。**身が引き締まった。

同じ年に初めて高級時計を買った。ロレックスオイスター。30万円。それまで買った最も高い腕時計の10倍の値段。必要もないのに何度も時計を見た。時計に見合う男になろう。時計に負けない仕事をしよう。そう思った。

子供の頃、男の子は誰しもプラモデルやミニカー、怪獣やアニメ主人公の人形やフィギュアに夢中になる。それは一種の本能だ。そして大人になり、本能の矛先はステーショナリーや時計へと向かう。もっと余裕のある人は車やバイクへ。根っこは子供時代にあるのだ。

だからといって、それを否定してはならない。いいじゃないか。**童心に返り楽しみながら自**

分を奮い立たせてくれる小道具があるのなら、それを手にしてビジネスの戦場を駆け抜ける。

現在の僕は、何度もペンと時計を乗り換えながら無難なセレクトにたどり着いた。モンブランの万年筆と、油性ボールペンと、水性ボールペンに3本差しの皮製ペンケース。そしてデザインが気に入っているカルティエの四角い時計が4つと、大きく丸いパネライのルミノールGTOが一つ。本当はもっと欲しいペンや時計がたくさんあるがこの位で我慢している。この小道具で十分に僕のビジネス戦闘意欲は引き出されるからだ。これ以上はぜいたくだ、と思っている。

もしも、あと一つそれなりのものを揃えるとするならば、僕は**きちんとしたカバン**を手に入れることをお勧めする。僕が主に使っているのは英国王室御用達のスエイン・アデニー・ブリッグのダレスバッグだ。重厚な真鍮の留め金がつくお医者さんや教授が持つような大きめのビジネスバッグ。そしてサブとして薄いブリーフケースを持つ。スコットランドのグレンロイヤル製。蝋引きされたピカピカの皮がまぶしい。これで気分がぐっと引き締まる。全力を上げてビジネスに集中、そのスイッチが押されるのだ。33歳からの君も少しずつお気に入りを揃えるといい。もちろん、**形だけでなく中身を伴わせることを忘れずに**。形だけでは余計にカッコ悪くなるからだ。

33歳からのルール

76

無地のスーツを仕立てよ

38歳の時、現在の経営パートナーが起業したばかりの会社の社長を引き受けることになった。社員数1名。いつ倒産するかもわからない。先行き不安な状態だった。そんな状態だから彼も僕もスーツにお金をつぎ込む余裕はなかった。僕は紳士服のアオキと青山で格安のスーツを調達した。

40歳になって、ようやく会社の経営にめどが立ったお祝いに僕は初めてスーツを仕立てた。アルメネジルドゼニア。イタリアの高級紳士服地だ。それ以来、スーツは常にゼニアのオーダーメイドにしている。毎年1〜2着ずつ春と秋に仕立てている。ここ数年はそれも我慢しているが。

生地のブランドも大切だが、もっと大切なのはどんな種類でどんなデザインのスーツを仕立てるか、ということだ。ストライプがいいのか、ヘリンボーンがいいのか、はたまた無地か。デザインはダブルかシングルか。2つボタンか3つボタンか。まずはここから仕立てを決定していく。僕が最初に仕立てたスーツは濃紺無地のシングルスーツだ。2つボタン。最もオーソドックスな生地に最もオーソドックスなデザイン。20代の僕だったら絶対に買わない組み合わせだ。しかし40歳の僕にとってはこれが憧れだったのだ。

コンサルティングの現場で出会うたくさんの経営者たち。彼らに共通していたのは、**極めてオーソドックスなスーツを小粋に着こなしていること**だった。まず素材が違う。遠めにもあざやかな発色で生地に艶がある。皺ひとつなくかたどられたジャケットは、美しいドレープを描き引力で下に向かっていく。ウェストや背中のラインがきれいだ。僕は驚いた。本当のおしゃれとはこういうことを言うのだな、と。奇をてらったグリーンや黄色やオレンジのスーツがおしゃれなんじゃない。**最もオーソドックスな濃紺やグレイのダークスーツを最高の素材、最高の仕立てで控え目に着る。それが紳士なんだと気づかされた。**

33歳からの君がもしも自分にお祝いをするチャンスに恵まれたなら、控え目な無地のダークスーツを仕立てることをお勧めする。それは本物を追究する大人の人生の始まりを意味するだろう。スーツの選び方の中に生き方が透けて見える。だから、そんな買い物をしてみたい。そして買い物を通じて自分を成長させて欲しい。40歳を過ぎた僕からの提案だ。

33歳からのルール

77

マネキンまるごと買え

スーツを着ているとカッコイイが、私服になった途端ダメダメになるオジさんは多い。最近は少なくなったが、私服＝ゴルフウェア、という黄金の組み合わせになった途端、その人はオジさんという称号で呼ばれるようになる。僕たちはまだ33歳からの現役世代。私服をコーディネートすることを忘れるには早すぎるだろう。まだオジさんと呼ばれてはいけない。

私服のコーディネートが苦手な人には、**行きつけのブティックを持つ**ことをお勧めする。僕も最初は行きつけの店で基本を覚えた。素人が陥りやすい間違いは、単品で服をセレクトすることだ。気に入ったシャツやパンツをそれぞれ単品で選び購入する。すると見事に全身真っ黒なコーディネートになったり、ちぐはぐなチンドン屋のような色使いになったりもする。

そうではなく正しくは**組み合わせで服を買っていく**ことが大切だ。パンツを買う時はそれに合う種類のシャツとベルトを一緒に買う。ジャケットを買う時も同様だ。**どんぴしゃり！の色使いや素材の組み合わせをまずはひと通り買う。その組み合わせを増やしていくのだ。**

そういう意味では**マネキンのまるごと買い、**も有効だ。店のマネキンはそのブティックの腕の見せ所だ。流行をたくみに取り入れながらも、絶妙な組み合わせで衣服がコーディネートされている。だったらそれをまるごと買えばいい。僕は何度もこの買い方で服を手に入れた。

音楽のジャズは、テーマと呼ばれる主旋律以外はすべて即興のアドリブで演奏される。ジャズを聴き始めたばかりの僕は「この人たちはどのような頭脳をしているのだろうか？」と思ったものだ。魔法のように次々と繰り出されるアドリブをどのように思いつくのか？　その思考経路がわからなかったのだ。しかし、どうやら**アドリブはパターンの組み合わせであるということがわかってきた。**コード進行に基づいて何百種類という必殺技のパターンがある。それを次々組み合わせてアドリブを完成させているのだという。

音楽も洋服も一緒だな、と僕は思った。ゼロから創造するのではない。先人の知恵である**パターンをそのまま手に入れてそれを組み替える。**そこにオリジナリティーがあるのだということに気づいたのだ。まずはパターンを手に入れよ。最初から創造しようとすると、とんでもなく遠回りをしてしまうことになるからだ。

33歳からのルール
78

うまいものしか食うな

一生のうちで食べる回数は有限である。33歳の君が仮に80歳まで生きるとすれば残り47年。晩年の10年は食べたいものが食べられないと仮定して残り37年。毎日3食食べたとしても、後4万回しか食事をすることができないのである。だったら、**うまいものしか食うな。まずいものを食うくらいなら一食抜いてでもうまいものを食え。**それが僕のお勧めだ。

何も高いものを食え、というわけではない。安くてうまいものは世の中にたくさんある。うまいラーメン、お好み焼き、牛丼、立ち食いそば、カレー、ハンバーグ。数え上げたらきりがない。家で食う食事だって一緒だ。アジの干物、鮭の塩焼き、納豆、卵かけご飯、豚汁、漬物。思いだしただけで食欲をそそられる力強いメニューが盛りだくさんだ。

33歳を過ぎた君は、君なりの必殺メニューや悩殺店をたくさん持っていることだろう。だったらまずいものを食うのはやめよう。うまいものしか食うな。残された食事の回数は有限なのだから。

最後の晩餐、という遊びがある。もしも君の命が後1日、そして後1回しか食事ができなかったとしたら、君は最後の晩餐に何を食べるだろうか?とメニューを言い合う遊びだ。

僕の最後の晩餐は20年来変わらない。それは「焼き魚と卵ご飯」できれば「納豆」もおまけしてくれれば幸いです、というものだ。

焼き魚の種類だけは日によって微妙に変わる。僕の中での御三家は「さんま、鮭、ニシン」の組み合わせだ。それもそれぞれに最高の素材でいただきたい、と思うのだ。

さんまであれば、仙台沖で捕れた油の乗ったお刺身で食べられるような奴を、はらわた付きで食べたい。表面に粗塩がざらっとついたところを小骨ごと食べる。苦いはらわたと甘い脂身が絶妙の組み合わせだ。白いご飯と最強の組み合わせだろう。

鮭ならば、僕の郷土新潟の海産物屋小川家の粕漬けを食したい。鮭の名所新潟県村上市の川で捕れた最高の鮭を新潟の地酒でつくった酒粕で樽に漬け込む。ほのかな香りがたまらない。

ニシンなら、北海道で捕れた新鮮な奴を塩焼きでいただきたい。数の子を抱いたメスではなく白子を抱えたオスがうまい。うまみが卵に奪われていないからだ。

33歳からの君はこれから4万食、**毎食が最後の晩餐だ。**心して喰らおう。後悔しないように。

33歳からのルール
79
毎朝、朝飯を食え

20代の僕は朝飯を食べたことがなかった。30代の僕は食べたり食べなかったりだった。40代の僕は毎日食べるようになった。そしたら朝の風景が変わった。一日が穏やかに流れるようになった。

朝ごはんは家族と過ごす貴重な時間だ。 朝、家族はそれぞれに慌ただしく準備をする。会社へ学校へ。そして駆け足で出かけていく。遅刻しないように急ぐのだ。

そんな**バラバラの家族をつなぎ留めるのが朝飯だ。** 朝飯の時だけは皆おとなしく食卓につき、ポツリポツリではあるが会話をする。それがいいのだ。そのわずか10分から20分。あわただしい時間の真空地帯、顔を合わせてもあまり話すことも目を見ることもなくても、同じ食卓につくことが重要だ。それだけで家族の存在を確認し、ホッとひと息つくことができる。

健康のためにも朝食は重要だ。 ダイエットだなんだ、と朝食を抜く言い訳はたくさんあるが、それはむしろ逆効果。午前中の時間をストレスフルにし、過度な空腹は昼食のドカ食いを招く。**朝飯を抜くことは百害あって一利なし、**だ。

そうはいっても朝食をつくるのは面倒だ。準備に割くだけの時間も少ない。そんな君にはコンサルタントのグル（導師）と呼ばれる世界の大前研一氏の朝食が参考になるかもしれない。氏の朝食は何十年来変わらない一品メニューで奥さんを喜ばせているらしい。それは「鮭茶漬け」だ。

飲んだ翌朝に良さそうだ。寝起きの体に優しそうだ。そして何より手間がかからないのがいい。確かに鮭茶漬けならば、365日毎日食い続けても飽きないだろう。僕はその自信がある。

このように**飽きのこない大好物メニューを朝飯にする、**というのも一つの手だろう。それほどに、毎日朝飯を食い続けることに価値があるのだと僕は思う。

昼飯を抜く人はいない。晩飯を抜く人もいない。しかし朝飯を抜く人は多い。**朝飯を家族と過ごす時間、そして美容と健康のための時間と捉え直そう。**そしてその時間を楽しもう。

33歳からの忙しい君にとって、毎朝の充電の時間となることは間違いないからだ。

33歳からのルール
80

魚を楽しめ

20代は肉の時代、30代は魚の時代、40代は野菜の時代。僕が勝手に名付けている年代別の食事の楽しみ方だ。僕の場合、20代で初めて肉のうまさを知った。うまい肉とまずい肉。ヒレ、ロース、サーロイン、ハラミ、イチボ、ミスジなど。部位による味わいの違いを知ったのも20代の時だ。10代は種類ではなく量の時代だ。腹いっぱいか足りないか、それが重要。だから20代でようやくうまさを知る。こだわりを持ち始める。そしてその始まりはたいてい肉からになるのだ。

30代の僕は「魚」のうまさを知ることになる。うまい寿司やお造り、の違いは当然として、僕は大衆魚の旨さ、そして味の違いをまざまざと知ることとなる。30代、大人の味覚を手に入れる年代に、「魚」は絶好の食材となるのだ。

最初に僕が、うまい！となった魚は、熱海の温泉帰りに買ってきたかますの干物である。

水かますと違う本かますの干物はうまみが凝縮されほくほくとほぐれる身から漂う香りと共に僕を熱狂させた。これが本物のかますの干物か？　僕は驚いた。その後その店で次々と手にした真アジの干物、さんまの干物、金目鯛の干物、どれもこれもが驚愕の味だった。こんなにも違うのか。僕はこれまでの干物喰い人生を恨んだ。やり直せるものならやり直したいとさえ思ったのだ。

次に驚いたのは、新潟の実家から送られてきた小川屋の粕漬け3点セットだった。樽の中で丁寧に1枚ずつガーゼにくるまれた鮭の身とタラコと筋子が鮭粕のベッドの中で静かに眠っていた。そのガーゼを丁寧に脱がせ、タラコを口に頬張った時に僕の魚人生が変わった。こんなにうまいものがあったのか！　田舎で暮らしていた時には気づかなかった仰天のうまさに僕は驚いた。そして実家へ帰る度、小川屋の本店へ必ず顔を出すようになったのだ。

次に驚いたのは39歳の時に仙台から送ってもらった刺し身で食べられるさんまを焼いた時のことだ。これだけの素材だ。当然のようにベランダで七輪の上で焼く。するともうもうと黒い煙が立ち上がる。炎が天をつく。今にも消防車が飛んできそうなほどの勢いだ。そこで焼かれたさんまのうまいこと、うまいこと。僕はもんどり打った。

30代は魚の味を覚えよう。そろそろ焼肉一辺倒を卒業しようじゃないか。

第9章

33歳からの「遊び」のルール

33歳からのルール
81

忙しい時ほどよく遊べ

「忙しくて遊んでいる暇なんてないよ!」と言う人がいるが、本当にそうだろうか? 僕の経験から言えば、30代は忙しい時ほどよく遊ぶものだ。良く遊ぶからこそ忙しさが維持できたのだと思う。

次から次へと仕事に追われる状態が続くと、人は無意識に自分を守る。**ストレスに押しつぶされないように安らぎの時間をこっそりとつくる。**僕たちはそれを**「ストレスの駆け込み寺」**と呼ぶ。例えばこんな行動だ。テレビ、マンガ、ゲーム、ネット、友達との長電話……。

一見ムダに思えるこれらの時間は絶対に減らすことができない。ストレスがたまる仕事が増えれば増えるほど、自分を守るためにこれらの時間も増えていく。無理にこれらを削ると今度は体と心が悲鳴を上げる。だからどんなに忙しい人でも、これらの時間を必ず取っているものだ。これら安らぎの時間を一つも取らずに仕事だけをしている人はいないのだ。

だったら、その**ダラダラとした安らぎの時間の質を上げればいい。**

それがつまり、**「忙しい時ほどよく遊べ」**ということになる。一人ごろごろとマンガを読んでいる時間に友達とどんちゃん騒ぎをする。おもしろくもないテレビをつけている時間にレイトショーの映画を見に行く。こんな風に**「ストレスの駆け込み寺」の時間の質を劇的に高めてしまうのだ。**

おもしろいもので、**忙しい時ほど遊びの誘いは多い。**考えてみれば当たり前だ。仕事でノッている男はイケテいる。そんな男に同性も異性も寄ってくる。さらに、仕事で忙しいということは、たくさんの人と仕事上での出会いがある。その出会いがまた次の出会いを呼んでいく。こんな風にして仕事で忙しい人は、遊びの機会がたくさんやってくるのだ。

そもそも君はどっちの男がイケテると感じるだろうか？　仕事の谷間に家でマンガを読みゲームばかりしている男と、仕事の谷間に映画やライブや旅行にと遊んでいる男。もうわかっただろう。だったら、**忙しい、と言い訳せずにさっさと遊びに行くことだ。**

さあ、33からの若き僕たちよ！　今、この瞬間に重い尻を持ち上げて出かけよう！**「書を捨てよ、町へ出よ」**と寺山修司も言っていたではないか！

33歳からのルール
82

もてたければ仕事しろ

20代は外面がイケテる男がよくもてる。**30代の男は内面がイケテる男がよくもてる。**

30代になると女性も男選びの目が厳しくなってくる。外面の良さだけには惑わされなくなってくるのだ。

仕事とは人生である。仕事ができる男はスキルがあるだけでなく、人間的に魅力があるものだ。だからできる奴は別な仕事をやらせてもできてしまう。

そして**女性は本能的に強いオスのDNAを嗅ぎ分ける。**太古の時代、強い男とは腕力の強さを指していた。しかし現代、強い男とは経済的な能力が長けた男のことを指す。つまり金を稼ぐ頭の良さとセンスがある男に女は弱い。そのDNAを女性は敏感に感じ取りその匂いに興味を示すのだ。

もてたければ仕事をしろ。仕事を通じて内面を磨け。チャラチャラとナンパに精を出したりくだらないファッション雑誌を眺める暇があったなら、ビジネスの本を読み、セミナーへ出かけ、深く自分自身を振り返ることだ。その方がはるかに早い。

もう一つ、仕事と「もて度」の関係を。

仕事ができる人はほぼ例外なく人の気持ちに敏感だ。たとえ専門職であろうとも優秀な人材は必ず相手が何を欲し興味を持っているかを敏感に感じ取る。相手の興味に合わせて上手にプレゼンするものだ。

当然ながらこの能力は異性を口説く時にも共通する。ビジネスでのプレゼン場面で、目の前の相手がペラペラと企画書の先をめくり、見積表しか見ていない状態だったとしよう。仕事ができる男は、相手に合わせて説明をすっ飛ばし、価格の話に入るはずだ。しかし、中にはそれにすら気づかない奴がいる。目の前の相手が無関心でいることに気がつかず、悠長に1Pずつ企画書を読み上げているような奴は仕事ができないし、女にももてないものだ。

もてたければ仕事をしろ。仕事で相手に気遣いできるようになり、経済的な腕力を手にすることができたなら、ほぼ例外なく女性は寄ってくる。

ファッション雑誌ではなく、ビジネス雑誌を手に取る方が早いのだ。

33歳からのルール

83

一流に触れよ

山下洋輔ニューヨークトリオの凱旋ライブに友人と共に行ってきた。米国を拠点として活躍する世界的なピアニストである彼は、あのタモリを芸能界にデビューさせたことでも有名な才人だ。ハチャメチャなエッセイも味がある。しゃべりもうまい。しかしなんといっても本職はジャズだ。超一流の音楽だ。

共に行った友人はジャズのライブ初体験。彼はロックに造詣が深いがジャズは小難しくて苦手だと言う。だが尻込みする彼を引きずるようにして僕は無理矢理連れていった。

そして、一曲目。山下洋輔らしい前衛的なリズムと早いパッセージの応酬を繰り返し、あっという間に曲が終わった。僕はその迫力に打たれた。しかし友人はどうだろう？　楽しめているだろうか？　横目で彼を見る。無言で舞台を見つめている。どうやら退屈はしていなさそうだ。

二曲目に新作アルバムからの軽快な曲が繰り出された。跳ねるベース。切れのいいドラムのブラシとスティックが小気味よく走る。もちろん名器スタインウェイの上で彼の指がすべる、走る、叩く。小気味よくテンポよく演奏は続くがこのプレイを実現するのには並大抵ではないテクニックが必要だ。観客のうちの何人がそれに気づいているかはわからない。が、僕は**一人一人の恐ろしいほどに鍛錬された技術と絶妙な呼吸や間合いに酔いしれた。**隣の彼は引き続き前のめりで無言のままである。

そして三曲目。本人作曲の正統派のバラードが流れた。Memory is a funny thing。会場全体に透き通ったピアノの音が広がる。ドラムのブラシが抑制された空気をつくる。ベースが腹に響く。ふと隣を見ると友人が泣いている。視線は舞台を見たまま。言葉もなくただ涙を流していた。僕は嬉しかった。引きずってでも彼を連れてきた甲斐があったと思った。

知識や経験がなくても一流の技を見れば人は感動する。ルールがわからなくても一流のアスリートを見れば人はその躍動美に酔いしれる。だから33歳からの僕たちは、**知らないジャンルだろうが何だろうが、一流に触れることを恐れてはならない。**億劫がってはならないのだ。一流に触れよう。遊びながら世界を広げよう。33歳からの遊びはそうでなくてはならない。

33歳からのルール

84

伝統芸能に触れよ

一流、という意味では日本の**古典芸能に触れない手はない**だろう。米国やヨーロッパから文化人が大挙して見にくる**世界の至宝がすぐそこにある。**それを知らずに一生過ごすのは馬鹿げている。せめて一度は触れてみるべきだ。しかも一流どころに。

僕は、20代の頃、日本の古典芸能の奥深さがわからなかった。なんだか古臭くてかび臭い年寄りのためのものだと決めつけていたのだ。しかし、初めて歌舞伎を見た時にそのイメージが一変した。西洋演劇や銀幕映画のスペクタクルをはるかに上回るそれが目の前で繰り広げられた。テレビでしか見たことのない市川海老蔵や中村獅童などの若手から松本幸四郎、中村勘三郎などチケットを取るだけで大変な大御所たちの命がけの芸がそこにあった。背筋が寒くなるほどのオーラを感じた。

それから僕はその出自や背景もわからないままに、様々な芸能を見てみることにした。格調高い古典芸能から庶民の味方である大衆芸能まで。**能や狂言、日本舞踊に落語**まで。中でも落語の話芸には魅せられてしまい、たびたび寄席や小箱の演劇場へと通うようになった。

もう既に見ることができない、今は亡き昭和の落語の名人たち、例えば五代目古今亭志ん生や八代目桂文楽などに関しては、CDで購入して聞くほどのファンになってしまった。

「小倉さんは講演をするから勉強になるでしょう」と言う人がいる。確かにそれもなくはない。

しかしあっても副産物程度の効能だ。僕はあくまで**楽しみのために聞く。惚れ惚れと味わうために寄席へ行く。**小さな感動を求めに行くだけなのだ。

それでもとっつきにくいなぁ、と思ったらとりあえず面白そうな公演に片っ端から抽選予約を申し込んでみるのも手だ。僕は「チケットぴあ」から送られてくるメールマガジンを眺めながら面白そうだな、と思ったらとりあえず予約を申し込んでみる。一流どころが出る歌舞伎などはなかなか当たらないが、若手の落語なんかは簡単に当選したりする。そして、とりあえず当たったら行ってみる。そうやって自分の好みを探すのだ。

尻込みしていたって何も世界は変わらない。まず行動。考えるのは後からだ。33歳の僕たちはそろそろ伝統芸能を語れる渋い大人を目指す時期に突入しているのだ。

33歳からのルール

85

ライブ！へ行け

僕が30歳でチームリーダーをしていた時のことだ。新人で入社したての小野クンから言われた一言がいまだに忘れられない。それは**「僕は感動するために生きているんだ」**という言葉だ。

就業時間も終わった夕方の17：30。入社したての小野クンが少し申し訳なさそうな顔で僕にこう言ってきた。「皆さんが残業している中申し訳ないんですが、今日は早く上がらせて下さい」。そしてこう続けた。「どうしても行きたいライブがあるんです。皆さんがどうかはわかりませんが、僕にとってライブはものすごく大切なことなんです。だからお願いします！」と。

僕は面食らった。ここまで正面切って遊びに行く、と言われたことはないからだ。僕はとがめるわけじゃないけれど、単純に興味があるんだ、と前置きをした上でこう聞いた。なぜそこまでライブが大事なの？と。すると冒頭の言葉が返ってきた。

「僕は感動するために生きているんです！　心が動かないのなら生きている意味はない。毎日同じ電車に乗って同じ会社にきて、それだけじゃ僕は死んでるのと一緒なんです。今の僕にとって、感動して心が震えるのは音楽と読書だけなんです。我がまま言いますがお願いします！」と。

小野クンはそう言って足早に職場を出ていった。その言葉に僕は圧倒されてしばらく仕事が手につかなかった。それほどに彼の言葉は僕の心を震わせたのだ。

30歳の自分は心が震えるような体験をどれだけしているだろうか？　上司に正面切って言えるだけ打ち込める遊びがあるだろうか？と。そして、僕自身も大好きでよく行っていたライブの映像が浮かんできた。ドスン！ドスン！と腹に響くバスドラム。脳みそを直撃するギターのハイノート。ロック、ポップス、ジャズ、ニューエイジ、クラシック。数え切れないほどのライブに行っていた学生時代。それをプッツリと断ち切って走ってきた自分がいた。あの頃の感動を取り戻したい、そう思いコンビニで「ぴあ」を買いライブハウスに電話をした。

30歳を過ぎたらライブへ行け。干からびかけている君の感性に電流を流し、みずみずしさを取り戻すのために必要なのはCDやDVD、ましてやテレビではない。いつだって人の心を動かすのは生身の人間だ。声を聞き、動きを感じ、会場のグルーブに身を任せる。ライブへ行く習慣を僕たちは持っていたいものだ。責任ある33歳からの僕たちは、常に細胞を活性化させる必要がある。**ライブという魔空間には間違いなく細胞を震わせる何かがある、**と僕は思う。

33歳からのルール

86

映画とJAZZ

初めて本格的に映画を観はじめたのは大学1年生の時だった。**「映画を語れるカッコイイ大人になりたい」**。そう思った僕は独学で映画を勉強し始めた。手始めに「名作」っぽい映画を片っ端から見ることにした。ちょうどその頃、アカデミックでおしゃれな映画館が次々とオープンし初めていた。今はもうなくなった六本木シネヴィヴァンや渋谷シネセゾンなど。それぞれのこけらおとしにかかったヴィクトル・エリセ監督の「ミツバチのささやき」、フェデリコ・フェリーニ監督の「そして船は行く」などの映像が今でもまぶたによみがえる。と同時に映画の本を古書店で買いあさり、書物での勉強も並行して始めた。現東京大学の蓮見重彦教授が立教大学で教べんを取っており、映画論の授業が話題になっていた頃だ。僕は蓮見重彦や柄谷行人などのアカデミックな解説を読んで難解な映画を理解しようとした。しかしどうもうまくわからない。そんな時偶然にも、日本を代表するイラストレーターの和田誠さんの本を手にして映画の楽しみ方を見つけた。そこには堅苦しい論理や哲学論ではない、純粋な映画ファンによる楽しみ方が素敵なイラストとともに書かれていた。「お楽しみはこれからだ」「ザッツエンターテイメント」などの名著の数々だ。そうして**僕は年に100本以上見続けた。**そして映画ファンの一人になっていった。

「JAZZを語れる渋い男になりたい」。同様の動機でジャズの勉強も始めた。同じ頃のことだ。勉強の仕方は映画と同様。**まずは実践、次いで書物だ。**僕は六本木を中心として都内に点在するジャズのライブハウスやジャズ喫茶に片っ端から足を運ぶことにした。そして当時住んでいた世田谷にある、かび臭く昼間から真っ暗な名店マイルスに毎日入り浸るようになっていった。いつもおしゃれでクールなママが優雅な手つきで回してくれるターンテーブル。大音量のやわらかいノイズあるアナログな音に囲まれて、ボトルキープ2千円。氷代1回300円のスミノフウォッカを飲みながら毎日300円だけで粘ったものである。お陰で今ではそこそこにジャズを楽しめる望みどおりの男になった。ただし「渋い男」になれたかどうかはわからないが。

33歳を過ぎたら**「渋い男」**を目指そう。そんな男は必ずや**映画とジャズに精通しているは**ずだ（と僕は思いこんでいる）。勉強の仕方は先に示した通りだ。33歳からの必須科目として挑戦していただきたい。

33歳からのルール

87

旅先でおばちゃんと

33歳からの僕たちは仕事柄出張へ行く機会が多いだろう。そして、休暇を利用して旅に出ることもあるだろう。オンとオフ。とはいえ旅であることに変わりはない。そしてその旅を遊び尽くす。そんな心のゆとりを持っていたいものだ。

旅の醍醐味と言えば、一般的には食事と名所巡り、そして風景だろう。もちろん僕はそれを否定しない。しかし、僕にとっての最高の楽しみは**地元のおばちゃん、おっちゃんと触れ合うこと**だ。

例えば、**朝市**に行く。何も買わなくたっていい。町の空気を感じに行く。**おばちゃんに話しかけてみる。**言葉のなまりがないからだろう。「お客さん、どっからきたの?」と訊かれることから始まる会話が楽しい。「おや、まぁ! 東京からだってさ。ちょっとあんたこっちきてみなよ。この人東京からだってさ! あら、やだ」。まるで宇宙人か新種の動物扱いである。

しかしそこに刺々しさは一切ない。田舎の人特有の優しさと開けっぴろげな人情があるだけだ。

例えば、夜にスナックに入ってみる。日頃、東京にいる時には決して行くことのない時代遅れの酒場が旅先では心地よい。スナックには旅人はいない。そこにいるのはその町に住みついて何十年、酒焼けの塩辛声になったおばちゃんと、おばちゃん目当ての常連の酔っぱらいたちだけだ。スナックのママさんは、純粋な地元出身の人ではないことが多い。どこか他の田舎で生まれ、都会に憧れて東京や大阪、福岡などで暮らし、その後なんらかの事情でまったく違う田舎町に流れ住む。あまり多くを語らないがそんな彼女たちの人生をつまみに酒を飲むことになる。

その人生の中にその町の姿がある。**その町で生まれ育ちどっぷりと浸かった人に自分の町は語れない。外から流れてきた人だからこそ見えてくるものがある。感じる何かがある。それがその町の正体だ。**止むにやまれぬ事情で夜の店を何十年と続けてきた女性の感性は鋭く言葉は重い。

田舎のスナックでぼったくられることはない。せいぜい2千円か3千円でその街の真実と人情に触れることができる。**旅の醍醐味は、おっちゃん、おばちゃんと話すことにある。**33歳からの大人の旅の楽しみ方がそこにある。

33歳からのルール 88

シェフ並みに詳しく

「おっ、活きの良さそうなイサキだね。アクアパッツァに合いそうだ。できるかい?」「もちろんです！　お客さん、お詳しいですね。飲食店のオーナーさんか何かですか?」。

初めて訪れたレストランや寿司屋などで、僕はよく飲食店のオーナーか調理師と間違われる。別に知識をひけらかしているつもりはない。ごく普通に食事を楽しむ一人の客として会話しているだけなのだがそう思われる。知識だけではない。もしかしたら食べ物へ対する人一倍の愛情が見え隠れするかもしれない。それとも慣れだろうか。どちらにせよ、本当のところは、単に食い意地が張っているだけのことではあるのだが。

種明かしをしよう。僕は学生時代、日本を代表するフレンチの名門である丸の内の東京會舘で派遣の準社員として毎日バイトに明け暮れていたのだ。学生バイトの身であるが立場が立場だけに社員に準じた勉強を求められた。その日、供されるフランス料理を給仕としてサービスする仕事だったが、当日のメニューはフランス語のまま壁に張り出された。それを見て必要な皿やシルバーを整え接客に備えるのである。誰も何も教えてくれない。僕はわからない仏語を必死にメモして後で先輩に教えてもらった。だから今でも**基本的な料理はフランス語のメニューを見るだけでわかる。**そして本物の味と偽物の違いが大体はわかるのだ。

寿司屋で出前持ちのバイトもした。開店前は下ごしらえを手伝う。その時に職人さんから、素材の見極め方や味わい方を教えてもらった。「食通の人はまぐろの赤身を食う。いい赤身はねっとりと舌にからみついて最後に鉄の味がする。その血の匂いが本当の赤身の味なんだよ」と。時給はさして高くはなかったが楽しいバイトだった。そして月に一度の給料日、僕は必ずその店で客として寿司を握ってもらった。もちろん破格の大サービス価格で。そして学んだことを客として復習し舌に刻んだ。

食事をするにしても、その料理の**本来の味を知っているのと知らないのとでは楽しみ方の深みが違う。**素材と料理法のマッチングや季節の楽しみ方を知っていると旨いものを食い逃さない。

33歳を過ぎた僕たちはそろそろ大人の食し方を覚えよう。そのためには少しくらいの知識はやはり必要だ。馴染みの店をつくり、店のおやじに教えてもらうのもいいかもしれない。

33歳からのルール
89

冒険家を卒業せよ

20代の頃の僕は冒険家だった。これまで行ったことのない土地、食べたことのないメニューを探し求め体験し、空白を埋めることに必死だった。だから、海外旅行の行き先は常に初めての国だったし、食事で頼むのは初めて食べるメニューばかり。**旅の冒険家、味の冒険家だった**わけだ。

しかし、30代に入って僕はふと思った。確かに世界は広がった。そこでわかったことは**「当たり」はほんのわずかである、**ということだ。例えば、食事のメニューを考えてみよう。目新しい凝った料理はたいがい**「外れ」**である。頼んで一口食べてすぐに後悔する。やはり定番メニューのがうまい。旅行で様々な国やホテルを訪ね歩くうち、同じことに気がつく自分がいた。騒がしく落ち着かないビーチリゾート。清潔さや気配りを欠くホテル。こんなことなら、以前訪れたあの町で、心からくつろげたあのホテルのプールサイドでもう一度寝ころびたい。そう思ったのだ。

33歳を過ぎたら、冒険家を卒業しよう。そろそろ馴染みのメニューと旅先をつくろう。そうして遊びを深めていくのだ。

伝説のサービスで一躍飲食業界を席巻したレストラン・カシータのオーナー高橋滋氏は、本業であるバイクの輸入業を営んでいる時に、疲れを癒す旅先としてアマンリゾートに出会い魅了された。世界中で最高の景色が見れる場所だけに建つ完全プライベート、全室スイートルームのコテージを中心としたホテルたち。ゲスト全員の名前を覚えフレンドリーに話しかける気さくで優しいスタッフたち。すべて貸切、完全オーダーメードで提供されるクルージング、釣り、ピクニック、旧跡巡り。団体ツアーは一つもなくカップルならばたった2人のために数人のスタッフがはりつきで完璧なもてなしをしてくれる。どこにもないアマンだけの特別な経験。それに魅せられた高橋氏は、「都内で一軒家が建つ」くらいの金額をアマンに注ぎ込んだ、と言う。現地のホテルには、「タカハシ・スポット」と呼ばれる場所がいくつかある。彼が好んで夕食をとった丘の上のテラス。彼が好んでシャンパンを飲んだ岬の浜辺など。

これが大人の遊び方ではないか。33歳を過ぎた僕たちは冒険家を卒業しよう。30代は遊びも仕事も深める年代である。**「外れクジ」**ばかりを引いている暇はない。

33歳からのルール

90

料理の快感

20代の僕は家にいることがなかった。時間があれば街へ出かけ、やることがなくても街をぶらついた。だから家で料理をすることはなかった。そんな暇があれば街へ出かけた。それが楽しかった。

しかし結婚をし、家具を買い、食器や調理具を整えたとたんに僕は変わった。**料理魔になったのだ**。料理は楽しい。ありふれたごく普通の食材がほんのひと手間で別なひと皿に変わる。その**創作の魔力に魅せられた**のだ。もちろん、できあがった料理に舌鼓を打つのも楽しみだ。それを一緒に楽しんでくれる家族や友人がいれば楽しみは倍増する。僕は友人を次々と家へ招き、ちょっとしたホームパーティーを繰り返した。30歳の頃のことである。

僕の得意メニューはとにかく簡単なこと、そしてとことんおいしいこと、である。例えばこんなメニューがお得意だ。「鴨ロースと白菜の酒蒸し」。鴨ロースを薄くそぎ切りにする。白菜を鴨肉の大きさに合わせて一口大に切り、それを重ねる。白菜＋鴨＋白菜。サンドイッチのように、だ。それを人数分×2～3切れつくり、鍋に日本酒を張って酒蒸しにするだけだ。仕上げにアサツキをちらすとプロっぽくなる。後は一口椀に盛ってポン酢で供するだけ。料理に要する時間は約5分。驚きの早さでできあがる。そしてお楽しみの食事時間だ。誓って言おう。ゲストは必ず感嘆の声を上げるだろう。その旨さと簡単さのギャップに驚くのだ。

料理は魔法だ。組み合わせで別世界が訪れる。

人は誰でも創作欲求を持っている。それは消費欲求よりも複雑な分、楽しみも深い。

だから、消費する遊びだけでなく、**創作する遊びを趣味に持とう。**絵を描く、文章を書く、写真を撮る。陶芸を焼く、ダンスを踊る、楽器を演奏する。その最も身近なものが料理なんだと思う。創作は君を豊かにしストレスを解消する。30代からのたしなみとして一つ加えてみてはどうだろうか。

第10章

33歳からの「金」のルール

33歳からのルール
91

せこい貯金をするな

30代の僕たちは、ビジネス人生がまだ始まったばかりだ。これから様々なことを経験し自分の人生を決定していくのだ。そんな時に**せこい貯金をして、自分を磨く機会を逃してはならない**。友と遊び、たくさんの人に会い、本を買い、ライブに行き、世界を旅行しよう。今は**自分へ投資すべき時期**だ。少ない収入の中から無理をしてせこい貯金をする時期じゃない。君にとって**最も信頼できる投資商品である自分自身に投資をする**のだ。出し惜しみをしてはいけない。

仮に君の年収が400万円だとしよう。手取りはおそらく25万円かそこらだろう。その中から家賃を払い、生活費を支出したら大して残らないだろう。そんなわずかな金額からせこい貯金をするくらいなら、未来へ投資しようじゃないか。

月々3万円あれば、行きたい専門学校に通えるだろう。3万円で本を買えばビジネス単行本が20冊は買える。月3万円貯金すれば年に2回か3回は海外旅行に行けるだろう。ライブだったら月に3回一流のアーティストに触れることができる。30代の君はそういう時間にこそお金を使うべきだろう。**未来のために貯金するにはまだ早い。**

そうして**年収を倍にしたらいい。**30代のうちに年収1千万円超えを狙うのだ。2千万円だって狙えるだろう。決してそれは不可能じゃない。その時に毎月30万円ずつ貯金すればいいだけだ。すぐに投資した分の元はとれるだろう。それくらいの気持ちでいて欲しい。

しかし、それとは逆の考え方もあるだろう。少ない収入の中からでもしっかりと、いざという時に備える。そんな繊細さも時には必要だろう。突然病気になるかもしれない。こんなご時世だ。理不尽な理由で職を失うかもしれない。転ばぬ先の杖。**万が一のために最低限の蓄えも必要かもしれない。**

要は、両極端なこの考えの両方を頭に置きながら、大胆かつ繊細に君なりの「貯蓄方針」を掲げるべき、ということだろう。僕の20代は「貯蓄中心」のせこい生活だった。そして30代は「自己投資中心」の大胆な生活だった。そして40代でそれを回収に入っている。**10年単位でお金の遣い方を考える。**33歳からの僕たちはそれくらいの大胆さで将来を考えていきたいものだ。

33歳からのルール
92

それは投資か？

買い物をするとお金が減る。しかし、買い物をしたらお金が増える、としたらどうだろうか？　じゃんじゃん買い物した方が得だと思わないか？　その**買い物を「投資」と言う。**

辞書を引くと「投資」とは「利益を得る目的で資金を証券・事業などに投下すること」とある。僕が言うのはそこまで厳密ではない。証券・事業に限らず、なるべく**お金が返ってくるようなものにお金を使おう。**そう言っているだけなのだ。

わかりやすい例で言えば、**仕事の能率を上げるものを買う。**これは僕の定義で言えば「投資」である。例えば、僕の職業はコンサルティング会社の社長である。主な仕事は、講演やセミナーで講話すること、単行本や雑誌のコラムやメールマガジンの原稿を執筆すること、だ。

そんな僕が外出先でストレスなく原稿を書くことは仕事の能率を上げる上でこの上なく重要なことである。だから、僕は以下のものを買った。それは僕の定義では間違いなく投資である。

●携帯電話用無線キーボード（携帯で原稿を書く）●車用テーブル（車の中で原稿を書く）●車用AC電源変換アダプタ（車の中でパソコンを使って原稿を書く）●電子メモ入力機ポメラ（本機で原稿を書く）といったデバイスだ。

これらを場面に応じて駆使することで、僕が原稿を書ける場面が飛躍的に増えた。今までであれば、自宅やオフィスにいったん帰らなければ書けなかった原稿が、外出先でどこにいても書けるようになったのである。

お陰で僕はメールマガジンを週刊発行から日刊発行へ変えることができた。そしてそのお陰で当社の**売り上げが数千万円増えた**のである。

消費はお金を減らすだけだが投資はお金を増やしてくれる。この違いは桁外れだ。33歳からの君にとっての投資とは何だろうか?

幸せな40代を迎えるために生きたお金を遣っているだろうか?

33歳からのルール

93

時間を買う

初めて社会人になって驚いたことがある。それは新入社員であったにも関わらず**タクシーを使うことを「奨励」された**ことだ。バブルの時代であった、ということもあろう。しかしそれだけではない。僕がお世話になったリクルートという会社にはそういう文化があったのだ。それは無駄遣いの文化ではない。**「時間を買う」**という発想である。そしてそれは創業者である江副浩正氏の教えでもあった。移動に時間をかけるくらいであれば、タクシーで時間を節約し、その分1本でも多く企画書を書き、1本でも多く電話をかけた方が生産性が高い。僕は上司からそう教えられた。その一つが「タクシーを使え」ということになるらしい。

では、タクシー以外で時間を買えるものとして何があるだろうか？　長距離の移動手段として新幹線や飛行機を使う、ということが考えられる。物理的時間を縮めるのではなく有効活用する、という意味においてはグリーン車やビジネスクラスを活用して移動中に効率よく仕事を行うという手もあるだろう。また、アシスタントやお手伝いさんを雇って雑務をこなしてもらう、という選択肢もある。最近ビジネスマンに人気の講座として「速読術」があげられる。1冊の単行本は10分で読むことができるようになるらしい。これも明らかに「時間を買う」という発想だ。また移動中にｉＰｏｄやCDを使って英語の学習やセミナーの音声を学習する、というのも時間を有効活用することになる。

しかし、上記のすべてを使ったにせよ、最も大切なある1点を外してしまえばすべては台無しになってしまうことを忘れてはならない。それは、「買った時間」を有効に活用する、ということだ。つまりは、**「買った時間」を使って金額以上のお金を回収する、**という発想だ。タクシーに乗ることで時間を買ったはいいが、のんびりマンガを読んで過ごしてそれでおしまい、というのではまったく投資にならないからだ。

「生き金」と「死に金」という言葉がある。「生き金」とはまさに「投資」のことであり「死に金」とは「消費」を指す。時間を買う、ことは「生き金」を使うことであり投資することだ。その金額以上を必ず取り返す。そういう心持ちでいるのであれば「時間を買う」ことは有効だろう。33歳からの僕たちにとって24時間はあまりに短い。「時間を買う」という選択肢も考えるべき年代に突入したのだと僕は思う。

33歳からのルール
94

「おごる」こと

33歳からの君は**「おごる」**ことが多いだろうか？　それとも「おごられる」ことが多いだろうか？　僕は立場上「おごる」ことが多い。しかし同じくらい「おごられる」ことも多い。不思議なことだが、よほどの大金持ちにでもならない限り**「おごる」量と「おごられる」量は比例する**ような気がしてならない。逆に「おごる」こともない人は「おごられる」こともない。それは**人づき合いの濃さ**に関わることのように感じる。つまり、第6章「人づきあい」のルールにも書いた通り、「借りをつくる度量」というものがある（140ページ参照）。「おごられる」ということは借りをつくることであり、「おごる」ことは借りを返すことでもあるからだ。**借りをつくり、それを返す。これは濃い人間関係をつくる一助になる**のだと思う。

であるならば、33歳からの僕たちは「おごり」「おごられる」関係をどんどんつくろう。割り勘も時には必要だろう。だが、後輩にどんどんおごり、先輩におごってもらおう。甘え、甘えられる関係をたくさんつくることだ。それがやがて君の財産になる。そして人づきあいの訓練にもなっていくことだろう。

「おごり」「おごられる」関係で得るものはそれだけではない。その関係を増やせば増やすほど、君の**「損得勘定」は麻痺していく**ことだろう。そしてそれはいいことだと考えたい。

人生を「損得勘定」で計算してはいけない。ましてや短期的な「損得勘定」で得をしよう、なんて発想はもってのほかだ。**「損して得取れ」**という言葉がある。それくらいに短期的な「損得」を考えるのは愚かなことだ。だから「おごり」「おごられる」ことが大切だ。それを繰り返しているうちにその勘定がごちゃごちゃになってくる。誰に貸しがあり、誰に借りがあるかがわからなくなる。それは君の度量が大きくなっていることのバロメーターであるかもしれない。そんな意味があるのだ。

さあ、33歳からの君は「おごり」「おごられる」ことをどんどん始めよう。「損得勘定」を捨てよう。それも一つの「生き金」の使い方だ。そう頭を切り替えよう。ただし、「おごる」ことからスタートしよう。「おごられる」ことを求めてはいけない。ものごとには必ず順序というものがあるのだから。

33歳からのルール
95

気分を買う

33歳で初めて役員になった僕は「時間」の大切さを痛切に知ることとなる。そして「時間を買う」ということの大切さも段々とわかってきた。そんな中で時間には**「クロノス時間」「カイノス時間」**がある、ということもわかるようになってきた。

クロノスとはギリシャ語で「時」を指し瞬間を切り取る意味合いで使われる。逆にカイノスは時の流れを意味し「時間」としてクロノスと分けて考えるらしい。しかし両者は通常**「物理的時間」**と**「意味的時間」**として区別され利用されることが多い。子供にとっての1年と年をとってからの1年は感じ方がまったく異なる。年を重ねた後の1年は速い。それは両者にとってクロノス時間は同じだが、カイノス時間は異なる、というように使われるのだ。

33歳からの僕たちはカイノス時間を豊かにしよう。「意味的時間」を大切にしていきたいものだ。同じ1時間を無駄に過ごさず豊かにする。それはすなわち、生き方を豊かにすることにつながると思うのだ。そんな考え方を僕は**「気分を買う」**という風に言っている。カイノス時間、すなわち意味的時間を豊かにする、とは気分よく過ごすことにつながるからだ。そのためにお金を使うことは人生を豊かにする「生き金」を使うことになると僕は思うのだ。

例えば**音楽にお金を使う、**というのもその一つだろう。僕にとって本を読む時、仕事をする時、車に乗る時に音楽は欠かせない。そしてその場面場面に応じて最も適する音楽をコーディネートし楽しむのだ。音楽は時を豊かにする。景色を輝かせる。気分をウキウキとさせる。だからそこへの投資は無駄ではない。僕はそう思っている。例えば僕はささやかな贅沢として自宅の書斎に有線放送を引いている。僕一人のための有線放送。月々5千円ちょっとの金額は僕にとってはまさに「生き金」だ。アロマポッドも僕にとって「気分を買う」ことになる。気に入った洋服を身にまとうことも同様だ。そして気に入りのカフェでお茶を飲んだり気に入りのバーで酒を飲むのも「気分を買う」ことになる。これらに金を惜しんではいけない。いや**惜しまずに済むように頑張る、**というのが正しい順番なのかもしれない。

33歳からの僕たちは「気分」に投資をしよう。人はパンのみに生きるにあらず。物理的ではなく意味的時間を生きているのだから。

33歳からのルール

96

貯める口座を分ける

たいした貯金もない僕が言うことではないかもしれないが、**貯金をするのであれば口座を分ける**ことから始めた方がいい。生活するための銀行口座と貯金するための銀行口座だ。それをごちゃごちゃにしていては貯金はできない。まずは**貯金専用の銀行口座をつくろう。**そして月々決まった額をそこに入金していくのだ。後は毎月通帳を眺めてニヤニヤすればいい。精神衛生上極めて健康にいい習慣となるだろう。僕も早くそうなりたいものだ。

繰り返して言うが、たいして貯金もない僕が言うことではないかもしれないが、貯める口座をつくるのなら、その口座は安全なものにしておいた方がいい。先日の日経新聞に書いてあったが通帳とハンコを金庫にしまっている人は非常に少ない。一番多い保管方法がたんすや棚の引き出しに入れたまま、であるらしい。そんなに泥棒を喜ばせてどうするのだ?と僕は思った。通帳を安全に保管できないのであれば、貯金そのものを安全なシステムに変えた方がいい。つまり簡単には引き出せないような環境に置くのだ。**指紋認証や手のひら静脈認証などの生体認証口座への切り替えがいいだろう。**そして貯金専用口座ではインターネット決裁ができないようにしておくのだ。これでずいぶんとセキュリティーが向上することだろう。これで安心して貯金ができる。心配せずに毎月ニヤニヤとすることができるようになる。

逆に生活資金や自動引き落としの決裁に用いる生活用銀行口座は便利なほうがいい。そこには一定額以上の金額を入れない、というマイルールをつくって、その代わりに便利な**インターネット決済**を導入すればいいと思う。使ったことのある人ならばわかると思うがネットの決裁は大変便利だ。第一、あのうんざりとするような**銀行ATMの行列に並ばなくて済む**ようになる。月末や10日などの決済日にズラリと並ぶあの行列は精神衛生上極めてよろしくない。その列を眺めながら携帯電話で簡単に振り込みができるようになるのだ。これはお勧めである。そしてATM利用やネット振り込みに手数料がかからない口座がいい。それを探して口座を開くことだ。どうやらIYバンクやソニー銀行が使い勝手がいいらしい。僕は新生銀行を使っている。自分で比較検討してみたらどうだろうか。どちらにせよ目的は貯金をすることにある。便利すぎて使いすぎないようにすることも大事だ。本末転倒にならないように注意した方がいい。

33歳からのルール

97

ローンを組まない

僕の支払はいつもクレジットカードだ。現金を持ち歩くのはセキュリティ上よろしくない。だからカードの支払いが便利だ。そしていつもニコニコ一括払いである。分割払いやリボ払いは僕にとっては大変危険だ。僕は細かい管理が大の苦手である。支払いを適正に保つためには**管理スパンは1か月が限度**である。だから一括で支払う。**使いすぎた時に痛みをきちんと体に刻む**ためにもこれは有効だ。さらに有効にするためならばカードも使わなければいい。いつもニコニコ現金払い。これが究極のお金の管理方法となるだろう。

もちろん、持家を買うのであればローンは必須だろうから住宅ローンは外して考えよう。それ以外においてはローンをやめよう。自分でお金を管理する。それができるだけの能力に合わせて支払い方を決めるべきなのだと僕は思う。

「借金も財産」という考え方もある。だから企業においては「借りられるうちに借りられるだけ借りておけ」と言う人もいる。だが、資金調達という一側面に限ればそれは正しいかもしれないが、適切なお金の管理、いや生き方の管理という意味においては正しくないような気がする。それでは勘違いが起きてしまう、と思うのだ。身の丈に合わない生活習慣が身につきそうで怖い。**身のほどを知るためには能力以上の金を持たない**ことだ。だから借金はできるだけ少ない方がいい。企業ではなく個人であればなおさらのことだと僕は思う。

20代の頃、僕は毎月の家計を予算化するために封筒を使っていた。例えば月の給与が30万円だとしたならば、給料日にそれを銀行から現金でおろしてから封筒ごとに振り分けるのである。例えば「食費4万円」とか「ガソリン代1万円」とかである。封筒の表にはマジックで科目と金額が書かれている。そして使う時はそこから現金を出して支払うのである。きわめてアナログで視覚的な方法だ。しかしこれが僕には合っていた。こうでないと**肌身でお金がわからなかった**のだ。通帳の数字上でそれをやってもピンとこなかったのである。

お金の管理も肌感覚が重要だ。33歳からの僕たちは自分でピンとくるようなお金の管理をしていきたい。お金の失敗は身を滅ぼすほどにインパクトがでかい。だからこそ肌感覚を使ってお金を管理して欲しいのだ。

33歳からのルール

98

ちょっと高めの方を買え

同じものを買うのであれば安い方がいいに決まっている。しかし、わずかな金額で劇的に品質が向上するものがあるならば、**常に高めのものを買うべきだ**と僕は思う。そんな商品の代表が生鮮食料品、つまりはスーパーで買う野菜、果物、魚、肉であると思うのだ。

東京は港区の南麻布に住む僕の家の近くに「なにわや」という地元の名物スーパーがある。他にも外人向けのナショナル麻布マーケットやNISSHINワールドデリカテッセン、チェーンでは大丸ピーコックなどもあるが「なにわや」は確実に異彩を放っており地元人から愛されている。叶姉妹などの芸能人を見かけることも多い名物スーパーなのだ。

「なにわや」の外見にまったく高級感はない。しかし品揃えには徹底的にこだわっている。あらゆる食材がすべて普通と少し違う。圧倒的に美味なのだ。有名なのは市場で牛一頭買ってきておろすという知る人ぞ知る牛肉だ。また「danchu」などの雑誌によく掲載される「ポテトサラダ」などの自家製お総菜もうまい。ただし、**わずかな金額の差で圧倒的な味の違いを手に入れようとする**ならば、僕は野菜を買うことをお勧めする。20代の頃の僕は野菜の味の違いがわからなかった。安い店が普通。高い店は利益を取りすぎてボッているくらいにしか思わなかった。つまり野菜はすべて一緒だ、くらいにしか思っていなかったのだ。しかし32歳で麻布へ引っ越してきて「なにわや」に通うようになってから、野菜にも圧倒的に味に違いがあることがわかってきたのだ。アスパラの汁が極上の砂糖のように甘い。ニンジンをかじると口中に香りが広がる。もやしのシャキシャキ感が違う。そして野菜特有の臭みがまったくないのだ。しかし、「なにわや」の野菜は少し高めだ。他のスーパーに比べ大体1パックで50円から200円くらい高い。しかし、そのコストパフォーマンスは絶大だ。それ以来僕はよそのスーパーで安い野菜を買わなくなった。今のところ浮気をするつもりはない。

「安物買いの銭失い」という言葉がある。昨今問題になっている中国野菜の毒性などを考えてみても、新鮮で信頼できる食料品の大切さはよくわかる。

このことから学ぶべきは、「高い野菜を買え」ということではない。**価格と得られる便益のバランスをきちんと考えよ、**ということだ。いたずらに安さに走り大切なものを失ってはならない。責任ある33歳から僕たちの買い物の姿勢として覚えておくべきだと思う。

33歳からのルール 99

買うより捨てろ

「もったいない」。そう言って田舎の母は物を捨てられずにいた。そして家中に今後使われる見込みがないガラクタがあふれていた。下手をすればゴミ屋敷だ。僕は母の考え方が納得できなかった。邪魔なんだから捨てればいいじゃないか。

なので東京で一人暮らしを始めてからは**徹底的に捨てることにこだわった。**その結果、昔も今も僕の家は生活臭がない。遊びにきた友人によれば「デザイナーの事務所みたい」らしい。「トレンディードラマのセットみたいな家やな。こんな家、世の中にほんまにあるんやな！」と叫んだ関西人もいた。あらゆるものを収納棚にしまい、テーブルや棚の上に一切ものを置かない。そして棚やテーブルや革のソファの色を白で統一する。そうするとそういう部屋ができあがる。簡単なことだ。

しかし、他の人にとってはこれが簡単ではないらしい。どうやら**一番困難なのは「捨てる」**

ことだと言う。僕がここまで大胆に「捨てる」ことができるようになったのは、大学生時代にある本を読んでからのような気がする。そこにはこう書いてあった。

「**あらゆる物の値段で一番高いのは東京の地価である。**不要なものを置くとそのスペースだけで年間数十万円がかかる。5年で百万円を超える。だったら、捨ててしまえばいい。そして必要であればもう一度買い直せばいい。**そのほうがはるかに安上がりだ**」というのだ。

僕はその本を読んで目から鱗がポロポロと落ちた。そしてその日のうちにあらゆるものをゴミ捨て場へ持っていった。そこから僕の「デザイナー事務所」のような生活が始まった。

ある程度本がたまれば、古本屋を呼ぶ。新聞はためておくと部屋が片付かないので、読み終わったらそのままゴミ箱へ捨てる。使えそうな家具や古い電化製品もリサイクルの誘惑を絶ってすぐに捨てる。迷っているうちに数年経つ。その間の地価が我慢ならないのだ。

地球に優しくない「捨てる生活」だが、その他はきっちりとリサイクルを徹底しているから許して欲しい。

33歳からの僕たちは**「捨てることで手にするもの」**の大きさに気づこう。そして「捨てる勇気」を持とう。何かを得るためには何かを捨てなければならない、のだから。

33歳からのルール
100
金じゃない

コンサルタントとしてはそこそこの部類だと自分でも思う。しかし経営者として考えれば自分は本当にまだまだだ。しかし、こんな僕でもたまには経営者として誉められることがある。それは「小倉さんは**金にガツガツしていないね**」という言葉だ。そしてその後にこうも言われる。「だからおそらく成功するよ。ガツガツしている人はうまく行かない」。そんなことを言ってくれる人が何人もいる。ありがたいことだと思う。

人、モノ、金のすべてが集まる東京にはいろいろな種類の欲望が渦巻いている。経営の世界で渦巻く欲望と言えばそれは第一に金である。そしてほとんどの経営者がIPO（InitialPublic Offering）すなわち株式公開を目指す。創業者利益として一攫千金を得るには最も手っ取り早く確実な方法だからだ。過去の努力と未来の可能性を金に変える。それが株式公開の一側面だ。だからこそ、それを目指して皆、目をギラギラとさせる。しかし僕はそこには興味がない。金が欲しくないというわけではない。人並みに金に困った経験がある僕は、金の苦労から解き放たれたなら安心だろうな、と思う。心のやすらぎは幸福の絶対条件である。だから金は欲しい。しかし**必要以上の金までも欲しいとは思わない**。将来の心配や不安がなく安心できるだけの資産があり、快適な日常を過ごせるだけの収入があればいいな、と思う。そして周囲の困っている人たちに少しだけ救いの手を差し伸べられるだけの余裕があればいいな、と思う。しかし無限に資産を膨らませて大金持ちになりたい、と思ったことは一度もない。そんな姿勢が垣間見えるのかもしれない。嬉しいことである。

では人生においていったい何が最も大切なのだろうか？　いろいろな哲学者や思想家がいろいろな定義をしているが、僕は一言で言えば**「利他」の心**、なんだと思う。人間は関係性の網の目の中でしか生きていけない**「社会的動物」**である。物理的に生命を維持できても、生を実感することはできない。**人に認められ人に愛され、必要とされて初めて生を実感する淋しい動物**だ。そしてそれを手に入れるには利己的ではいけない。利他の心で他人へ奉仕し、人の役に立ち感謝されて初めて幸せを実感するのである。だから金じゃない。金の先にあるものが大事なのだ。33歳を過ぎたら金の先を見よう。そうしたら逆に金がついてくるだろう。求めれば手に入らない。求めないから手に入る。金はその最たるものであるのだから。

あとがき

「20代でどれだけ仕事をしたかで一生が決まる」

　そう言われ続けたのは僕が20代の頃だった。今でもその言葉は正しかったと思う。ただし、「30代での本戦」を戦うための予選としてならば、という意味であるが。

　20代は仕事人生の予選である。ここを勝ち抜かねば本戦はない。20代の時に「こいつは骨がある奴だ」と思われなくては本戦を戦うチャンスはこない。しかし、予選でどれだけ大勝しても本戦には関係ない。あくまでも本戦である「30代をどう過ごすか」で、本当の意味での人生が決まるのだ、と思う。

　本書は、「仕事」「キャリア」「同僚・部下」などのビジネスに関する知恵だけでなく、「遊び」「衣食住」「お金」などのプライベートに関わるテーマも数多く散りばめた。なぜならば「仕事とプライベートは不可分」だからだ。

　仕事ができる奴はプライベートも充実している。プライベートが充実していると仕事もノッてくる。仕事ができる人はプライベートでも、もてる奴が多い。プライベートでもてる奴の方がもてない奴より仕事ができる。だから33歳からの君には今以上にプライベートも充実させて欲しい。そして大人のプライベートな時間へと一歩ステップアップして欲しいと思ったのだ。

その意味では、本書の内容は20代を卒業した君への応援であると同時に、カッコイイ40代を迎えるための準備の指南書であるとも言える。ひとあし先に40代を迎えた僕から、一言君へ伝えたいことがある。

「40代は楽しいぞ」

そういえば、先日前の会社の先輩からこう言われたことを思い出した。

「50代はもっと楽しいぞ」

ノッテいる人はいつもこうなのだと思う。本書を通じて、君がさらにイケてる男になることを願って。

2009年5月　南麻布の書斎にて

株式会社フェイスホールディングス　株式会社フェイス総研　代表取締役社長　小倉　広

■著者紹介
小倉　広（おぐら　ひろし）
株式会社フェイスホールディングス
株式会社フェイス総研　代表取締役社長
1965年新潟市生まれ。1988年青山学院大学経済学部卒業後、株式会社リクルート入社。商品企画、編集記者を経て組織人事コンサルティング室課長。1999年度リクルート社年間最優秀コンサルタント。同年ソースネクスト株式会社（現東証一部上場）常務取締役就任を経て2003年現株式会社フェイスホールディングスおよびフェイス総研代表取締役就任。経営トップの分身づくりと理念浸透に特化したコンサルティング会社5社を統括。多くの企業の組織づくり、人材育成を支援している。著書に「あたりまえだけどなかなかつくれないチームのルール」（明日香出版社）「ビジョナリーカンパニーへの教科書」（秀和システム）「上司は部下より先にパンツを脱げ」（徳間書店）「マネジャーの基本＆実践力がイチから身につく本」（すばる舎）など。新聞、雑誌への寄稿や講演多数。趣味は、ジャズクラブ巡り、名画座での映画鑑賞、老舗グルメ探訪、キャンプと焚き火。

（問合せ）株式会社フェイスホールディングス広報室
TEL：03-5419-7182
E-mail：press@faith-h.net
（URL）
http://www.faith-h.net/

ご意見をお聞かせください

ご愛読いただきありがとうございました。本書の読後感想・御意見等を愛読者カードにてお寄せください。また、読んでみたいテーマがございましたら積極的にお知らせください。今後の出版に反映させていただきます。

☎ (03) 5395-7651
FAX (03) 5395-7654
mail:asukaweb@asuka-g.co.jp

あたりまえだけどなかなかできない　33歳《さい》からのルール

2009年 6 月11日　初 版 発 行
2009年 8 月24日　第44刷発行

著　者　小《お》 倉《ぐら》　広《ひろし》
発行者　石 野 栄 一

明日香出版社
〒112-0005　東京都文京区水道2-11-5
電話（03）5395-7650（代表）
（03）5395-7654（FAX）
郵便振替 00150-6-183481
http://www.asuka-g.co.jp

■スタッフ■　編集　早川朋子／藤田知子／小野田幸子／金本智恵／末吉喜美／久松圭祐
営業　小林勝／浜田充弘／渡辺久夫／奥本達哉／平戸基之／野口優／横尾一樹／後藤和歌子
大阪支店　梅崎潤　M部　古川創一　経営企画室　落合絵美　経理　藤本さやか

印刷　株式会社文昇堂
製本　根本製本株式会社
ISBN978-4-7569-1300-5　C2036

編集担当　久松　圭祐

あたりまえだけどなかなかつくれない チームのルール

小倉　広著

08年11月 発行
ISBN978-4-7569-1242-8

あたりまえのようで、なかなか徹底できない、頭でわかってはいても、なかなか実行に移せていないチーム運営のルールを2000社を指導する組織コンサルタントとして活躍し、自身も社長として会社を回している著者がわかりやすく解説します。

定価：1470円　B6版　240ページ

あたりまえだけどなかなかできない　上司のルール

嶋津　良智著

06年12月 発行
ISBN4-7569-1030-0

上司の仕事の究極は、部下に仕事を任せきり、部下の成長を見守ること。そこにいきつくには、密にコミュニケーションをとり、部下に自主性を促していくのかがポイントになる。著者の数々な経験をひもときながら上司論を展開する！

定価：1365円　B6版　216ページ

一人前社員の新ルール

黒川　勇二著

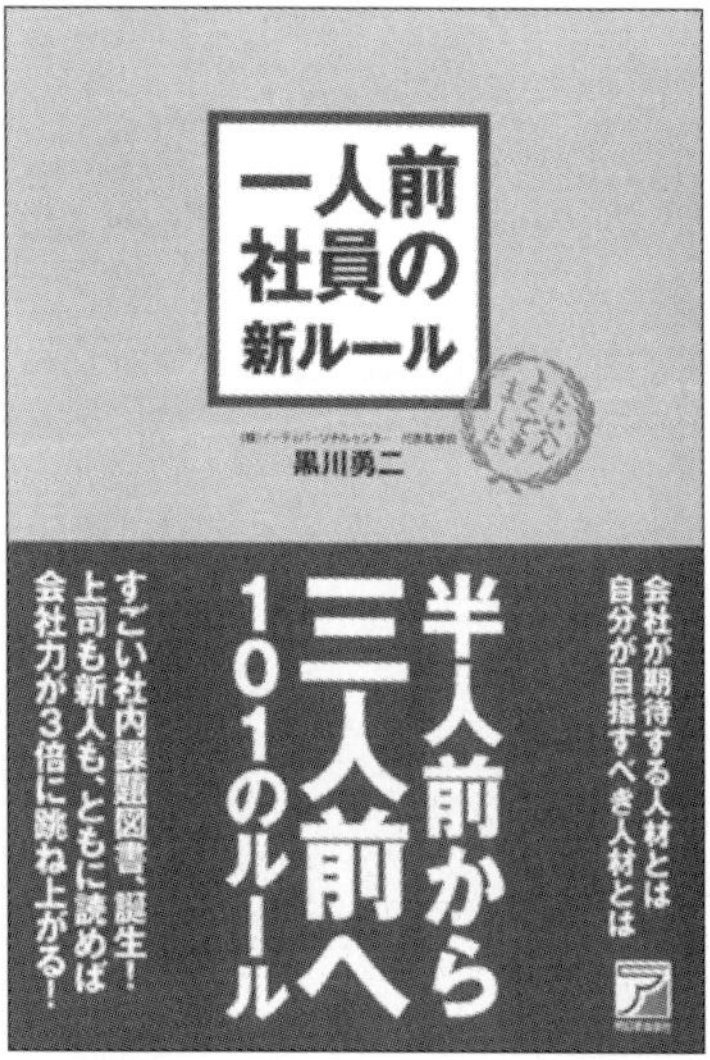

09年05月 発行
ISBN978-4-7569-1307-4

ビジネスマンとして一人前ということはどういうことか。
どう考え、どう行動すればよいか。
会社が求めている人材とはどんな人材なのか。
その求められる人材になるために必要なことがわかる本。

定価：1365円　B6版　236ページ

「人」や「チーム」を上手に動かす NLPコミュニケーション術

山崎　啓支

09年02月 発行
ISBN978-4-7569-1275-6

ＮＬＰと呼ばれる心理学的な手法を使ったコミュニケーションを学び、人に気持ちよく動いてもらう技術を身に付ける。周りのメンバーが自発的に動き、チームリーダーやプロジェクトリーダーがストレスを感じず、目標を達成できるようなコミュニケーション能力を養う。

定価：1575円　B6版　248ページ

仕事が10倍速くなる
ビジネス思考が身につく本

太期　健三郎著

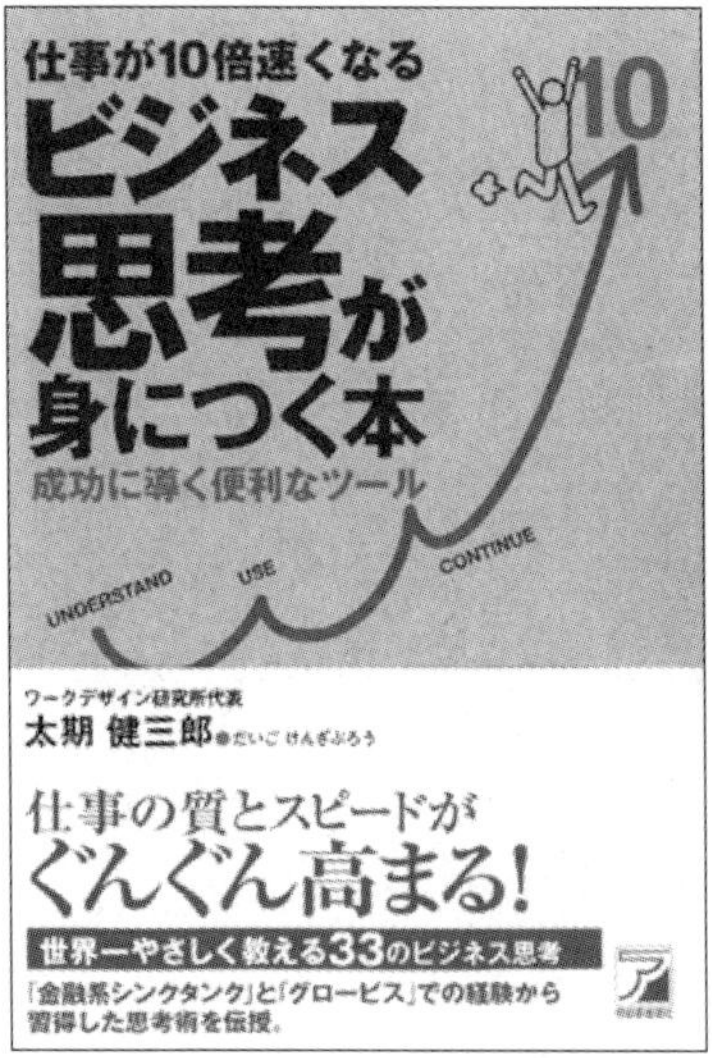

09年02月 発行
ISBN978-4-7569-1268-8

ビジネスの場で使われる考え方、考える枠組みである「ビジネス思考」を、誰にでもわかるように、やさしくまとめた一冊。33のビジネス思考をどのように使用すればいいのかを、文字だけの説明とせず、理解しやすいように図表を盛り込みながら、生活、仕事の具体的シーンでの事例を使って説明します。

定価：1575円　B6版　240ページ

デキる人は皆やっている　一流の人脈術

島田　昭彦著

06年11月 発行
ISBN978-4-7569-1244-2

自分の周りには、限られた人脈しかなくて、なかなかネットワークを広げることができない。ちょっとの努力と、ちょっとの勇気と、ちょっとのやり方がわかれば、誰でも人脈は増やせるはず。そのヒントとなるアドバイスを50の項目で紹介する。藤巻幸夫さんとの対談付き。

定価：1575円　B6版　224ページ

デキる人は皆やっている
一流のリーダー術
森田 英一
日本人は圧倒的にリーダーシップが欠けている
新時代に通用するリーダーシップを身に付けろ!
リーダーは誰でもなれる。
自分自身を知り、他者の影響力を知る。